湛庐 CHEERS

与最聪明的人共同进化

HERE COMES EVERYBODY

📚 奇妙的人文冒险 📚

미켈란젤로의 예술 교실

米开朗琪罗的穹顶壁画

[韩]申然淏 著
[韩]赵胜衍 绘
庄曼淳 译

中国纺织出版社有限公司

作者的话

　　不久前,我去欣赏了一场韩国国乐的演奏会。演奏会上表演者不仅演奏了传统乐器,还表演了朝鲜族的说唱音乐、传统舞蹈等,演出非常精彩。因为是传统乐器的演奏会,我以为现场肯定都是些年长的观众,但是想不到有很多小朋友也来聆听,让我大吃一惊。

　　"说不定孩子们是因为被父母逼迫才跟来的。"我暗自猜测,索性向那些小朋友询问他们来欣赏演奏会的原因。

　　第一位小朋友是这么回答我的:"我很喜欢演奏大笒(cén)和短箫,所以今天才来看表演。"

　　这个小朋友居然会演奏大笒、短箫,很厉害吧!但没想到第二位小朋友的回答更让我惊讶。

　　"自从听过一次大笒的声音后,我就完全迷上了。我从那个时候开始学习大笒,以后想要读艺术中学。"

这些小朋友都喜欢艺术,并和艺术如此亲近,这让我感到羡慕又新奇。

　　那天,我亲身经历了艺术所带来的力量与快乐。我第一次知道了大笒的声音有多么清澈温柔,就好像潺潺溪水发出的声响,又仿佛是轻轻抚弄树叶的风的声音。另外,四物打击乐①的演出也改变了我陈旧的思想:表演者竟然能用四物打击乐的拍子跳霹雳舞!

　　欣赏着四物打击乐结合霹雳舞的新奇表演时,我默默下定了决心:"我在写书的时候,也要做一点新的尝试。我一定要写出有趣的文章!"

　　近年来,学习乐器或绘画的孩子很多,他们从艺术中所感受到的乐趣应该比我感受到的还要多,期盼他们可以继续享受这样的乐趣。

　　还有,这是某只猫咪偷偷告诉我的。它说世界上所有的小朋友都是伟大的艺术种子,因为他们拥有无拘无束的想象力!希望他们可以永远不要丧失这份美好的力量。阅读本书,让你们也来认识一下那只跟我说悄悄话的猫咪吧!

申然溟

---

① 四物打击乐由鼓、乐鼓、大锣和小锣四种打击乐器组成。——译者注

故事人物介绍

猫咪向导

它是一只会说人话的猫,它在美术馆的凉亭里遇见姜泰悟,并让泰悟经历了冒险旅行。猫咪向导在泰悟的口袋里放了某个东西,那个东西究竟是什么呢?

姜泰悟

他对艺术一点儿兴趣都没有,是为了玩手机游戏而来到美术馆,却遇到一只奇怪的猫,经历了一场奇妙的冒险。

姜智悟

他是姜泰悟的双胞胎哥哥。简单来说,他常常把泰悟的生活"砰"的一声炸得乱七八糟,所以泰悟给他取了一个绰号。究竟那个绰号是什么呢?

目 录

1. 猫咪贴纸 1

2. 挨打的米开朗琪罗 14

3. 一座特别的雕像 25

4. 拉斐尔的《雅典学派》 37

5. 猫咪向导的处方 51

6. 最强的道具 61

猫咪向导的人文课程

伟大历史人物的小传　76

世界艺术小史　80

培养思维能力的人文科学　95

关于米开朗琪罗与绘画的历史，你了解多少？

扫码激活这本书
获取你的专属福利

- 为了弄清人体肌肉的运动规律，米开朗琪罗做了以下哪件事？（　　）

  A. 对着镜子中的自己练习自画像

  B. 坚持研究人体解剖

  C. 观察陌生人的姿态

  D. 向达·芬奇学习

扫码获取全部测试题及答案
来奇妙的人文世界一探究竟

- 现在，我们要去哪个国家的博物馆，才能亲眼欣赏到《创世记》？（　　）

  A. 梵蒂冈

  B. 意大利

  C. 美国

  D. 法国

- 以下哪个作品是艺术家杜尚的代表作？（　　）

  A.《播种者》

  B.《泉》

  C.《呐喊》

  D.《睡莲》

扫描左侧二维码查看本书更多测试题

1. 猫咪贴纸

我安稳地瘫坐在沙发上,"炸弹"却自己找上门来,他就是比我早五分钟出生的双胞胎哥哥姜智悟。不管做什么事他都非得拉着我一起,这让我觉得很烦。因为他总会把我原本平静的生活"砰"的一声炸得面目全非,所以我才给他起了这个绰号叫"炸弹"。"炸弹"智悟从沙发旁的小茶几上拿起了电话:"妈!市美术馆有毕加索展,我可以去吗?"

"我不想去!"我用力戳了智悟的腰并坚决反抗,但是"炸弹"已经爆炸了。智悟将电话转交给我:"妈说换你听。"

"不要,我不要!我不接!"

我不停挥舞着手,全身紧趴在沙发上。智悟对着话筒,向妈妈做着实况转播:"泰悟好像跟沙发合而为一,紧紧贴在上面。但是,您别担心,我们会一起去的。"

"谁说的?不管是展览还是音乐会,我都没兴趣。"我小声嘟囔着,并把脸埋入沙发的靠背里。

奇妙的人文冒险　米开朗琪罗的穹顶壁画

　　智悟常常会去看在活动中心或图书馆举办的展览，或是去听演奏会，有时还会搭公交车到离家很远的美术馆或博物馆参观。听到相似的乐器声，他会装出一副听得出是大提琴还是小提琴声音的样子。平常他也老是把达·芬奇或米开朗琪罗等难记的人名挂在嘴边。

　　智悟在小学一年级时，看到著名画家蒙克的画作《呐喊》而深受感动。智悟说，他感觉能听到画作中的人在呐喊的声音。爸妈还因此赞叹道："哎呀！我们家智悟的艺术鉴赏能力真强啊！"但是，我可以拿我所有的游戏卡作赌注，"炸弹"的话绝对是假的。

1. 猫咪贴纸

画作怎么可能会说话？怎么可能会发出声音？这种事情只会出现在童话故事或魔法学校里吧？

"你真的不去吗？就算可以让你玩手机也不去吗？"

看着我没什么兴趣，依旧一动也不动地躺在沙发上，智悟便拿出手机当作诱饵。智悟和我共同拥有一部手机，但我们并不能随心所欲地使用，必须得到爸妈的允许，或是当我们出远门时才可以使用。不过，因为我最近疯狂迷上了一款手机游戏，所以我总是在爸妈回到家进门的那一刻，就冲上前缠着他们，请求他们让我玩一会儿手机。这也就是智悟以手机当诱饵的原因。

"哼！只不过是一部手机。"

我对他提出的条件嗤之以鼻。最近游戏玩得不顺利，我已经烦躁到对任何事都提不起兴趣了，再加上今天又发布了高温警报，让我更不想踏出家门。

"不去是你的损失！"

智悟和妈妈说的话一模一样。妈妈老是说，如果不跟智悟一起行动，是我的损失。大概是因为跟智悟在一起，可以增强对"艺术的鉴赏能力"吧。虽然不知道"艺术鉴赏能力"到底是什么，但是我坚信即使不去加强，也对我一点儿损失都没有。

"我在家里能吃什么亏，你去美术馆才是损失呢！要花公交车费，还要付入场费，甚至还会消耗体力。到底为什么要去看画展？"

"那你待在家好了。我是听说美术馆附近有很多魔法师出没，才想要带你一起去。"

听到"魔法师"三个字，我的耳朵立刻竖了起来。魔法师正是最近让我疯狂着迷的那个游戏。只要在某时某地打开那个手机游戏，就可以和当时当地出现的魔法师一较高下，如果赢了，就可以获得魔法道具。

"魔法师真的会在那里出现？"

"听说猫咪也会出现。你不是说它是最强的魔法师吗？"

"什么？居然连猫咪也会出现！"

1. 猫咪贴纸

我把正要涌出的感叹词吞了回去。猫咪是可以幻化成九种形态的大魔法师。在我们社区里只会出现等级较低的魔法师，所以猫咪大魔法师可是超级稀有的角色。于是，我便装出一副无可奈何的样子，跟着智悟出门了。

从家里到美术馆，中途需要转乘一次公交车，而且下车之后，还得从公交车站走一段路。天气太炎热了，这一路让我很不舒服，但是一想到可以遇上猫咪大魔法师，我便忍了下来。智悟只买了一张入场券，他和妈妈不一样，不会强迫我进美术馆里面。但是，等智悟从美术馆出来之后，我必须听他说无聊的画作故事。

在智悟进美术馆里欣赏画作期间，我就在外面玩手机游戏。不过，我拿着手机到处走了好一阵子，不要说猫咪大魔法师了，连普通魔法师的踪影都根本没看见。

"那家伙，该不会是骗我的吧？"

手臂和脑袋像被火烧一样热，我只好去找个能休息的地方。便利商店后面有个凉亭，屋顶是用瓦片拼成的，我一头倒在亭子的正中央。虽然天气依旧炎热，但是凉亭遮蔽了阳光，躺在这里还算可以忍受。这时候，我的眼前好像突然闪过猫咪大魔法师的身影。但我没想太多，就这样闭上了双眼，然后沉沉地睡去。

"你在做什么？"

听到有人拍手的声音，我瞬间醒了过来。

一只猫挺直了腰坐在我的脚边,双眸一闪一闪散发着光芒。我感到无比神奇,因为这是我第一次这么近看一只猫的双眼。

"哇!眼睛像宝石一样!"我情不自禁地称赞着,耳边立刻传来回应的声音。

"你真的很有看猫的眼光。选你还真是选对了!"这声音纤细而微弱,让人无法区分是男是女。但这声音明明就是从附近传来的。"是谁在说话?"我转头看了看,四周却空无一人。

"喵!专心听我说话!"

猫伸出了爪子。

"难道是猫在说话?!"

我连忙摇摇头。大概是我满脑子都在想着猫咪大魔法师的事,导致现在出现幻觉了。

不过,眼前的猫不是幻觉,因为每当它的嘴一动,真的就会发出说话声。

"不是'难道',是真的。第一次看到会说人话的猫吧?"

"呃嗯……不……没错。"

我不知道该说什么,只好支支吾吾回答它。在会说人话的猫面前,一字一句都不得不谨慎。

"喵!放轻松一点儿。"

"什么?"

奇妙的人文冒险

"我叫你不用这么紧张。我是品性良好的猫,懂得尊重人类。所以我们彼此都不用太拘束,好吗?"

我不由自主地点点头。

"喵,我来点个名。你叫什么名字?"

"为什么要点名?这里是学校吗?"

听见我的抱怨,猫咪立刻举起前脚指向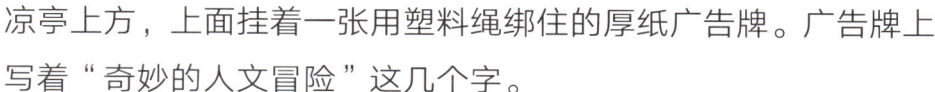凉亭上方,上面挂着一张用塑料绳绑住的厚纸广告牌。广告牌上写着"奇妙的人文冒险"这几个字。

"看到了吧?我是此次冒险之旅的猫咪向导,而你能被我选中是一件非常幸运的事,因为我们的旅程非常奇妙。"

不只擅长说人话,它还是只很会吹牛的猫。

不对,它刚刚说自己是向导吗?但它好像有点搞不清楚状况。现在是大夏天,谁要跟它去旅行!

"如果表现好,我还会给你奖励,可以让你见到猫咪大魔法师!"猫咪捋着胡须说道。

"什么?猫咪大魔法师?"

我立即打开手机屏幕。猫咪向导把前脚放到屏幕上。

"但你必须先经历一场冒险旅行。今天的冒险之旅的主题是

'帮助米开朗琪罗'。"

"米开朗琪罗不是艺术家吗?"我惊讶地问。

我曾经从智悟口中听过这个名字。智悟曾唾沫横飞地称赞米开朗琪罗是个天才。

"没错,米开朗琪罗,就是那位文艺复兴时期的伟大艺术家。"

"我要怎么帮助生活在古代的人?"

"专心、专心!仔细听我说!泰悟,你将前往公元 1511 年 8 月时的意大利罗马。那时米开朗琪罗正在西斯廷教堂绘制天顶画。你的旅行就是帮助他,并且不能让他中断绘画。"

这到底是什么意思?难道是穿越到古代的游戏吗?

"关键在教皇朱利叶斯二世的手中。你要让教皇可以像平常一样行动,这样才能让米开朗琪罗继续绘制天顶画。"

我曾在电视上见过教皇,但是从没听过有教皇登场的游戏。

"这应该是新推出的游戏吧?是打算让我试玩游戏,对吧?"

"这不是游戏,是真正的冒险。"猫咪一本正经地回答。

"什么意思?难道真的要我去见米开朗琪罗吗?"

"当然。你准备好了吗?"

"不,等一下!"

回到数百年前的过去,这不是一件可以轻易下定决心的事。我又不喜欢那些画作,为什么要帮助米开朗琪罗?于是,我拿智悟当借口。

"我哥哥还在美术馆里。如果我一声不响就消失了,他一定会担心。"

"你不用担心你哥。在你回来之前,他不会离开美术馆的。"猫咪一副胸有成竹的样子。

"我们两个不能一起去吗?哥哥很了解米开朗琪罗。"

"这可有点困难了。因为只有你有贴纸。"

"贴纸?"

"你把手放到裤子后的口袋里。"

泰悟发现口袋里有两张贴纸,上面的图案是猫咪向导。

刚才睡着的时候,我明明是躺在凉亭地上的,它到底是怎么把贴纸放进我裤子后面口袋里的?难道真是使用了什么魔法吗?

"泰悟,拜托你了,请你让伟大的艺术家继续画下去吧!"刚才还高高在上的猫咪向导,突然郑重地拜托我,双眼还充满迫切的渴求。看着那双眼睛,我下定了决心。

走吧,去罗马!可我要怎么去呢?

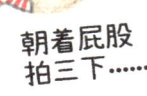

把贴纸贴在双眼上

啪、啪、啪

朝着屁股拍三下……

　　猫咪向导拿着贴纸，说："把贴纸贴在双眼上，然后拍三下屁股，这么做就可以前往米开朗琪罗所在的罗马。记得回来的时候也用同样的方法就可以了。但是，不能中途随随便便就回来，一定要让米开朗琪罗继续完成他的作品才行！"

　　我在行动前把手机交给猫咪向导保管，因为我想到这不是个适合带回过去的物品。

　　我把猫咪向导的贴纸贴在双眼上，然后，朝着屁股"啪、啪、啪"拍了三下……

　　突然有股力量抓住了我的双肩。虽然不会痛，但是感觉我整个人被牢牢抓着。不久后，我的身体开始浮在空中，并朝前方移动飞行，我觉得自己就好像夹娃娃机里的娃娃一样，后颈被抓着移动来移动去的。

1. 猫咪贴纸

不知道过了多久，带领我前进的力量停止了，我开始缓缓往下落。降落之后，我的脚底感觉硬硬的，是地面。这时，感觉一直被某股力量抓住的双肩，也终于被放开了。我拿下贴在眼睛上的猫咪贴纸，并将它们放回口袋。

我惊讶地发现自己正站在挤满了破旧屋舍的窄巷里，满脑子都是疑惑："要去哪里找米开朗琪罗啊？"

四处张望后，我发现一名男子正急急忙忙地从巷子的另一头走来。

男子用力敲着一户人家的门，边敲边喊道："米开朗琪罗先生！米开朗琪罗先生！"

这也太巧了吧！居然不费吹灰之力，我就可以见到米开朗琪罗了。

我满怀期待地看着那扇门。随后，门"咯吱"一声打开了。

"啊，什么？那个人就是米开朗琪罗？"

2. 挨打的米开朗琪罗

"米开朗琪罗是上天赐予的天才！"我清清楚楚记得智悟说过的这句话。如果就像智悟所说的，米开朗琪罗是个天才，那他应该有什么异于常人的地方吧？但是，眼前的这名"天才"只是个面露倦意的大叔，他的胡子像钢刷一样又粗又乱，一头卷发乱翘，身上的衬衫好像很久没洗过一样皱巴巴的，而那双长及大腿的靴子，让人看着就觉得很热。尽管我与他相隔了一段距离，还是可以闻到从他身上飘来的阵阵汗臭味。

"米开朗琪罗先生，教皇陛下请您现在立刻前往西斯廷教堂。"刚才敲门的男子说。

米开朗琪罗生气地回嘴道："我正忙着画素描，为什么总是叫我过去？"

"这个可能要请您亲自去问了。现在请您赶快跟我走，教皇陛下已经在教堂里了。"

"真是烦死人了。我马上就过去，你先走吧！"

2. 挨打的米开朗琪罗

男子一转身，米开朗琪罗随即看向了我。他朝我射来的锐利目光，让我有点害怕。米开朗琪罗朝我招了招手，示意我过去。我仿佛受到惊吓而夹着尾巴的小狗，战战兢兢地走了过去。

"你会做什么？"

一般来说，第一次见面的大人都会问"叫什么名字""现在读几年级"之类的问题，但是，他居然问我"会做什么"！我手足无措地回答道："只要我能做的，我都会做。"

米开朗琪罗扑哧一笑，不知道是在嘲笑我，还是觉得我的回答很有趣。"走吧！"米开朗琪罗走过我身边。

我还理不出头绪，呆站在原地，米开朗琪罗便转过头来大吼道："还不跟上？猫咪向导没告诉你，要紧跟在我身边吗？"

米开朗琪罗知道猫咪向导的存在，看来他们两个好像互相认识。虽然我很想问清楚，但是现在的气氛好像不太适合问问题，我只好一言不发地跟在米开朗琪罗身后。我们走出蜿蜒曲折的巷子后，便来到了一座广场。

广场上人来人往。有些人骑着毛驴，有些人拉着拖车，还有些人肩上扛着满满的行李。广场的一边正在建造新的建筑。虽然我想上前看个仔细，但是我担心和米开朗琪罗走散，便只远远地看着。米开朗琪罗沿着长长的围墙走到一扇由士兵镇守的门前，他推我到士兵们的面前。

"仔细记住这孩子的长相。他要和我一起在西斯廷教堂工作，以后不要阻拦他的进出。"

"知道了，画家先生！"士兵们回答。

"该死的画家头衔。"一边走入大门，米开朗琪罗一边不满意地嘟囔着。

为什么不喜欢画家这个称呼呢？是不是因为他明明不想，却不得已接下绘制穹顶壁画的工作，所以讨厌别人叫他画家？那么猫咪向导是怕他中途放弃，才派我过来的吗？我暗暗想着。

不知不觉间，我们已经穿过门后的庭院，进入一栋建筑内。接着，我们又沿着长长的步道走了一段路，来到另一扇雄伟的门前。看来这里就是教皇所在的西斯廷教堂。米开朗琪罗一推开门，里面就传来老人愤怒的声音："我多久以前就派人过去找你

2. 挨打的米开朗琪罗

了，你怎么现在才出现？"

"教皇陛下，我可是一接到消息就跑过来了。"米开朗琪罗的回答也不怎么客气，两人之间的气氛变得很紧张。

我像只猫一样悄悄溜入教堂，找了一个最不起眼的角落坐下。这座教堂非常华丽壮观，只是这样瞄了几眼，就令我叹为观止。地面上有着巨大的马赛克图样，而墙上则画满了壁画。

教皇就站在教堂的正中央。尽管身在人群中，他的存在依旧显眼。教皇是个头上戴着没有帽檐的帽子、身上披着一件大红斗篷的老人。他握着拐杖的手的每根手指上都戴着戒指，戒指闪烁着光芒。

"这个脚手架你打算什么时候搬走？"

教皇用拐杖敲了敲挡在教堂中央像梯子的东西，那应该就是他所说的脚手架。脚手架的高度接近教堂的天花板，最顶端围绕着栏杆。脚手架围着的天花板上已经画满了图，但是外面的天花板依旧一片空白。看来米开朗琪罗得爬上这座脚手架，才能绘制穹顶壁画。

"把这东西撤了，我才能仔细看画作呀！"

教皇仰着头看向天花板，身旁的随从也跟着抬起头。唯有米开朗琪罗和一个与我年龄相仿的孩子，并未抬起头。那孩子的脸蛋如同水煮蛋一般白皙无瑕，他还留着一头及肩的金发。

"为什么不回答？这东西到底什么时候才要收走？"教皇又

敲了敲脚手架。

　　米开朗琪罗不高兴地回答："公开完成品的日子是 15 日，那时我就会收走了。"

　　"早一点儿收也没关系吧？"

　　"我很忙。总之，时间到了我自然会收。陛下，请不要催我。"

　　"什么？不要催你？"

　　教皇举起拐杖，胡乱打在米开朗琪罗的背上，口中还不停咒骂着："你是叫我闭上嘴看你做事就好吗？还是要我说：'是的！好的！艺术家大人！'然后在一旁乖乖等着？到底你是教皇，还是我是教皇？"

被打的米开朗琪罗蜷缩着身体。

眼睁睁看着这么大年纪的大人挨打,我觉得有些尴尬,就悄悄溜出门外。

不久后,那个脸蛋白得像水煮蛋的小孩也走了出来。

"第一次看到这个场面,你吓到了吧?"他问道。

虽然他的外表看起来像是个女孩子,但是说话声却是男孩的嗓音。

听到他这么说,我不禁抱怨道:"教皇的脾气本来就这么糟吗?居然打一个成年人,这太过分了吧?"

"教皇十分珍惜米开朗琪罗,他只是想要早点儿看到完成的作品,才会催促他。"男孩说。

"如果真的珍惜他,不应该那样打他吧?"

"因为教皇的个性有些特别。不过说到个性特别,米开朗琪罗也不相上下。"

他说得没错。虽然才刚见面不久,但我已经见识到米开朗琪罗的坏脾气、怪个性。

无话可说的我只好开始找碴儿:"你怎么直接叫米开朗琪罗叔叔的名字?"

"我之所以可以直呼他的名字,是因为我的身份比你所想的还要高。我可是统治曼彻斯特地区的贵族之子,我的名字是费德里柯。"

2. 挨打的米开朗琪罗

"贵族家的小孩了不起啊？"

本想这么说，但想想还是算了，因为这里和我居住的世界是不同的，这里应该也有专属于这个地方的规则吧？

"可恶的家伙！究竟凭什么这么嚣张？如果你不是艺术家，早就被我赶出去了！"从敞开的大门内，传来教皇怒气冲天的声音。

然后，其中一名想要巴结教皇的随从，突然跑到教皇身边说："陛下，请您息怒。艺术家本来就是一群没有知识的人，满脑子只有艺术而已。米开朗琪罗也是……"

教皇停下脚步，转头瞪着那个想拍马屁的人。

"最无知的人就是你！有眼不识米开朗琪罗这样的艺术家，你才是最愚蠢的人！"

教皇用拐杖狠狠地戳了下地板，发出"咚"的声响，然后才迈开了脚步。

费德里柯走到教皇身边，两个人看起来很亲密。

我重新回到教堂里。

米开朗琪罗已经爬上脚手架，我也跟着向上爬。尽管爬得越高，越觉得头晕目眩，但是我一到达脚手架顶端，恐惧感立即烟消云散，取而代之的是一阵惊奇。

教堂天花板上的穹顶壁画非常壮观，令人叹为观止。画里浑身布满健美肌肉的人物仿佛随时会从画中跳出来一样。

"哇,真是太壮观了!这是叔叔画的穹顶壁画吧?他们是亚当和夏娃,对吧?"

我指着穹顶壁画问道。

只见一条长长的蟒蛇牢牢缠住树干,而那棵树的旁边有一对没有穿衣服的男女,女人正从恶魔手上接过受诅咒的果实。

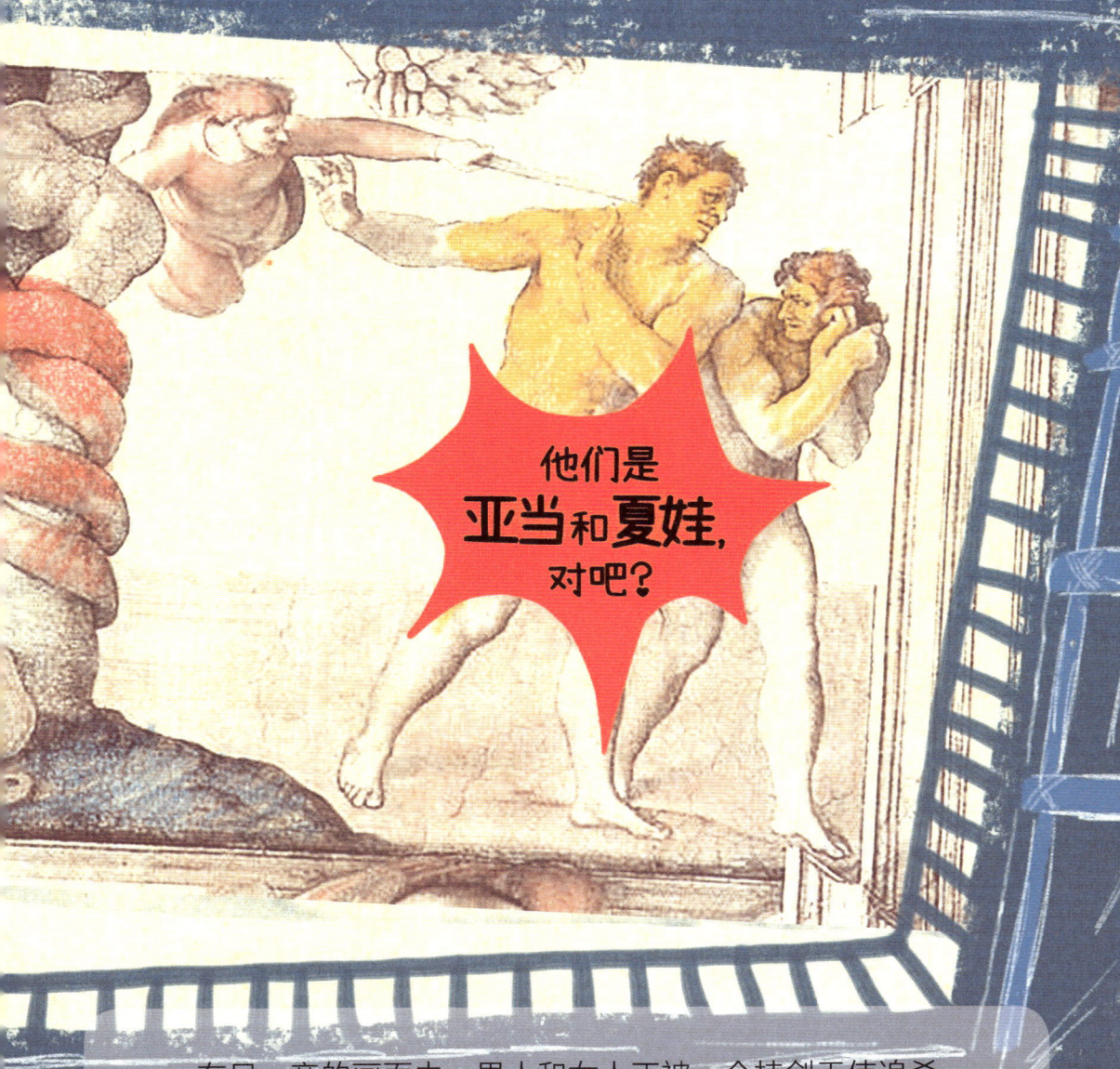

在另一旁的画面中，男人和女人正被一个持剑天使追杀。

那对男女正是因为偷吃善恶之果而被逐出伊甸园的亚当与夏娃。

"看来猫咪向导这次派了个还不错的家伙。"米开朗琪罗喃喃自语道。

这大概是夸我"居然知道亚当和夏娃,真厉害"的意思吧!

"叔叔,请不要收起来。"

"你在说什么?"

"我的意思是,请您不要把脚手架收起来。如果没有脚手架,您就没有办法在天花板上作画了。猫咪向导派我来这里的原因,就是为了阻止您把脚手架收起来。"

"你在说什么蠢话?就是要把脚手架收起来,才可以完成这幅作品。"

"什么?"

"必须让教皇先满意我目前的画,才能继续完成另一边的画作。要是他觉得不满意,肯定会把我的画擦掉,改叫其他画家进行这项工作。"

这是绝对不能发生的事,我必须守护这幅画,而且得让另一边的天花板也填满米开朗琪罗的作品。我想起来了,猫咪向导曾说过任务的关键在教皇手上。看来我必须密切注意的人不是米开朗琪罗,而是教皇!

3. 一座特别的雕像

"你叫什么名字？"

"我叫姜泰悟。"

"真是个好名字。不但叫起来很顺口，也很容易记住。"询问我名字的是米开朗琪罗的朋友弗朗西斯科·法兰西。

弗朗西斯科和米开朗琪罗住在一起，并且包办米开朗琪罗生活中的一切大小事务。为了让米开朗琪罗能专心创作，他不仅帮忙准备颜料，甚至连三餐也帮忙打理。傍晚时，弗朗西斯科会算好时间，在米开朗琪罗和我差不多要回到家时，跑到巷口迎接我们，他总是说因为晚餐已经准备好了，但是米开朗琪罗却还没回来，所以他正打算去教堂一趟。

"泰悟要在这里住几天，让他睡在你的房间吧！"

听了米开朗琪罗的话，弗朗西斯科愉快地回答说："当然，本来就该这么做。"

我们三人立刻走进了屋子里。弗朗西斯科进了厨房，而米

奇妙的人文冒险　米开朗琪罗的穹顶壁画

开朗琪罗则往最大的房间里走去。他走到房间里的桌子前，翻开摆在桌上的素描本。素描本里面全是用红色线条一笔一笔画出的素描。米开朗琪罗仔细盯着那些素描画，看了好长一段时间。

　　第二天早上，弗朗西斯科叫醒了我。窗外依旧一片昏暗，但是屋内已经飘来阵阵食物的香味。

　　"从今天开始要清除教堂里的脚手架，肯定会很忙碌。所以我准备了很丰盛的早餐！"

　　"我也要一起去教堂吧？"

3. 一座特别的雕像

"当然！如果不去教堂，你想去哪里？"

吃早餐的时候，米开朗琪罗一句话也没说。每当米开朗琪罗拿着叉子陷入沉思时，弗朗西斯科便会轻敲几下餐桌，让米开朗琪罗继续用餐。

吃完早餐后，我们走到西斯廷教堂的大门前，今天一起工作的人也已经在门前等待，我们便和他们一起进入教堂。这里是梵蒂冈宫，米开朗琪罗作画的西斯廷教堂就在梵蒂冈宫内。这座教堂只有梵蒂冈宫里的内部人员才能进来。这些全都是弗朗西斯科告诉我的。

人们一开始清除脚手架，整个教堂陷入一片混乱。移除脚手架的木柱时，会扬起阵阵灰尘，而每当薄木板掉落到地面时，震天巨响就会在教堂里回荡。

弗朗西斯科对我大声说道："泰悟，这里很危险，你还是出去逛逛梵蒂冈宫吧！"

听了弗朗西斯科的话后，我独自离开教堂。正当我走在走廊上的时候，遇到了一张熟面孔，是费德里柯。一看到他，我便想起自己该做的事。为了让米开朗琪罗的穹顶壁画能够顺利完成，我必须去见教皇一面。

所以，在和费德里柯打完招呼后，我马上对他说："费德里柯，我有件事想拜托你……你能带我去见教皇吗？不然，你能告诉我教皇在哪里吗？"

奇妙的人文冒险　米开朗琪罗的穹顶壁画

"你为什么想见他？"

费德里柯盯着我的脸看。从他的眼神可以看出，他觉得我没头没脑提出的要求很奇怪。

"我担心教皇会下令停止天顶画的绘制工作……所以才会提出这个要求。如果教皇真的有这个打算，我想好好说服他。"

"绝对不会发生那种事。因为最期待能看到天顶画的人就是教皇。"

"就算如此，也不能保证之后会发生什么事。"

"原来你这么担心米开朗琪罗。你竟然还为了不知道会不会发生的事，打算去见恐怖的教皇。"

"因为我想要看到叔叔完成作品。天顶画肯定会成为伟大的作品！"

3. 一座特别的雕像

"你对艺术很感兴趣吗?"

"嗯……"费德里柯的问题让我不知该如何回答。我对艺术一点儿兴趣也没有,但是眼前的状况让我很难诚实回答。我很担心穹顶壁画不能完成,甚至还要求费德里柯带我去见教皇,如果这时说自己对艺术一点儿也不感兴趣,费德里柯应该就不会想帮我了。

幸好,费德里柯没有继续追问下去,而是换了个话题。

"对了!你知道我的名字,但是我还不知道你叫什么。"

"我叫姜泰悟。"

"泰悟,如果你现在有空,要不要跟我去个地方?这附近有个你应该会喜欢的地方。"

费德里柯带我来到一间房间,里面有好几名画家正在绘制壁画。

"拉斐尔叔叔！"

费德里柯大声呼喊道，画家们纷纷转过头看我们。其中，有个人吸引了我的目光。他那雪白的脸庞配上及肩的长发，看起来好像是费德里柯的哥哥。就是那个人迅速举起手向我们打招呼，并迎面朝我们走来。他大概就是拉斐尔吧？

"费德里柯，你今天带了朋友来啊？"拉斐尔看着我，对我微微一笑。

"对呀！他是和米开朗琪罗一起工作的泰悟。"听到费德里柯的介绍，拉斐尔立刻瞪大双眼。

"哦！那么，你也是来自佛罗伦萨吗？"

"不，我不知道佛罗伦萨在哪里。"

"这还真是奇怪。米开朗琪罗只和佛罗伦萨人一起工作，还是泰悟你施了什么魔法？你不是佛罗伦萨人，居然也能让他看上。"

拉斐尔的幽默让我不禁笑出声。大概是因为他风趣的谈吐与亲切的态度，才让费德里柯总叫着"叔叔，叔叔"，还总在他身旁打转吧。

"叔叔，听说佛罗伦萨培养出很多顶尖的艺术家？"看来费德里柯对佛罗伦萨很感兴趣。

"那当然！莱昂纳多先生也是来自佛罗伦萨。"

"莱昂纳多先生就是和米开朗琪罗展开壁画对决的那位吧？"

3. 一座特别的雕像

"是那位没错，但是壁画对决最后不了了之。原本是可以将两人的作品放在同一个地方的机会，真是可惜。"拉斐尔一边说着一边叹了口气。

费德里柯和拉斐尔谈了很多我听不懂的话题，我只能静静在一旁听着。

"叔叔看过莱昂纳多先生的画作吗？"

"当然！先生在画丽莎夫人的肖像时，我就在旁边。"

丽莎夫人？好耳熟的名字。

我曾经听智悟说过，达·芬奇所画的《蒙娜丽莎》，模特儿就是丽莎夫人。那位名为莱昂纳多的画家居然也画了丽莎夫人的肖像画，丽莎夫人是这么有名的人吗？

等等！莫非……

我突然插进两人的对话中："请问，你们说的莱昂纳多先生是达·芬奇吗？"

"大概是吧？莱昂纳多先生诞生于芬奇镇，所以大家也会叫他'达·芬奇'，意思是'芬奇镇的莱昂纳多'。"

"啊！莱昂纳多·达·芬奇。听说他真的是一位伟大的艺术家，不只擅长绘画，想象力也很丰富。"我喋喋不休地说着。

这些都是从智悟口中听来的。当时，我还嚷嚷着"我不想听"，没想到智悟说过的那些话，现在居然派上了用场。

"哈哈！不愧是米开朗琪罗的弟子。"拉斐尔夸奖我。

费德里柯，
你今天
带了朋友
来啊？
叔叔看过
莱昂纳多
先生的
画作吗？
当然！
先生在画
丽莎夫人的
肖像时，我
就在旁边。
你们说的莱昂纳多先生
是达·芬奇吗？
大概是吧？
莱昂纳多先生
是在芬奇镇
出生的。

3. 一座特别的雕像

"没有啦,我只是听过名字罢了。除了《蒙娜丽莎》外,达·芬奇先生的其他作品我一无所知。"

"听过名字已经是很好的开始了。接下来就是要对这个人感兴趣,然后再保持这份兴趣,多看看这个人的作品,自然就知道要怎么欣赏艺术作品了!"拉斐尔亲切地说。

就在这个时候,其中一名正在画壁画的画家突然出声呼唤拉斐尔:"拉斐尔,过来帮忙调色。"

我们好像占用忙碌的拉斐尔太多时间了。就在我们和拉斐尔道别并离开房间后,费德里柯抓住了我的手臂。

"泰悟,我答应你的请求。"

"请求?这么说,你能带我去见教皇吗?"

"嗯!但是,不是现在。教皇去远方狩猎了,等他过几天回来之后,我会帮你制造机会的!"

"谢谢你。真的非常谢谢你!"

"不用这么快向我道谢。我可不能保证一定有机会见到。"但光是他豪爽地答应我的请求,已经让我觉得非常放心了。

我和费德里柯道别后,便往西斯廷教堂走去。正在走道上来回踱步的弗朗西斯科一看到我,便兴高采烈地迎了上来。

"你消失了这么久,我正在担心你呢!你去哪里了?"

"我去参观正在画壁画的房间。"

"做得好!梵蒂冈宫里的艺术作品很多,你可以尽情欣赏。"

"这里也有米开朗琪罗叔叔的作品吗？"

我想要马上实践拉斐尔所说的"保持兴趣，多看看作品"，因此决定先从熟悉的米开朗琪罗开始。

"这里是没有了，但是这附近的教堂里倒是有一个。怎么样？想去吗？"

"想去！"

"那里正在施工，你应该很难找到。我跟你一起去吧！"弗朗西斯科带我前往广场上的施工工地。

广场正前方的建筑虽然已经粉碎，但是后面的教堂仍完好如初。

弗朗西斯科大步走入教堂，然后站在一座雕像前。

那是一位年轻女子将一名瘫软无力的成年男子抱在膝上的雕像。

"这不是一座雕像吗？这就是米开朗琪罗叔叔的作品吗？"

"没错，米开朗琪罗原本是一位雕塑家，他能让一块块大理石释放出艺术生命。"

"这座雕像是在描述什么呢？"

"这座雕像叫《哀悼基督》，刻画了圣丹抱着死去的耶稣。"

我仰起头仔细观看着，圣母身上有着自然的衣服褶皱、耶稣仿佛正在沉睡，以及他手、脚上的钉子痕迹都十分生动。

不过，有一点很奇怪，圣母是耶稣的母亲，但是她的容貌

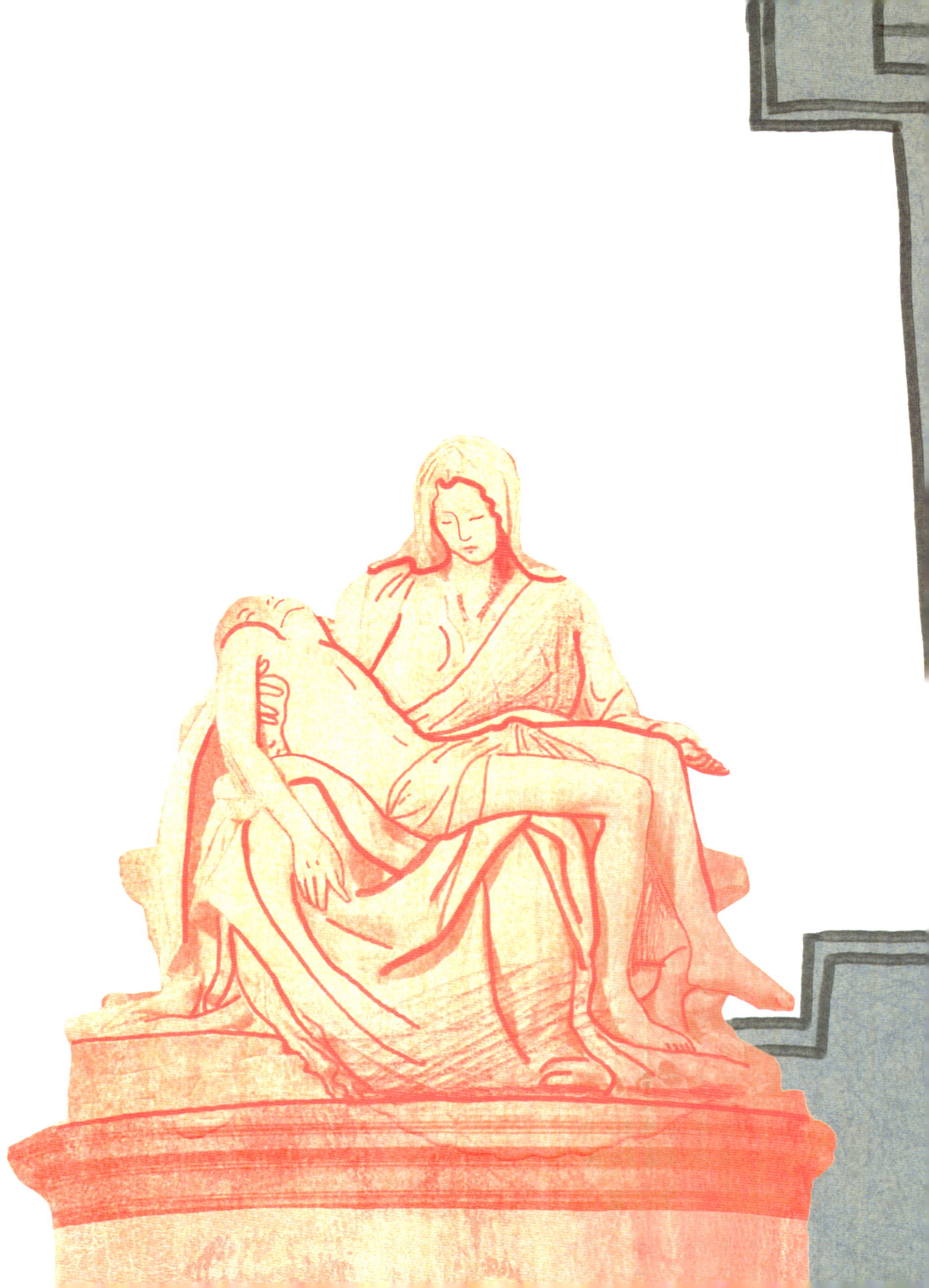

奇妙的人文冒险 米开朗琪罗的穹顶壁画

看起来却比儿子年轻。

"叔叔,我怎么觉得圣母不像一位母亲?她看起来太年轻了。"

"米开朗琪罗刻意把她雕刻成年轻的模样。因为圣母是神圣的母亲,所以米开朗琪罗认为她不会老去。这也算是米开朗琪罗独有的表现方法吧?"

我仰望着雕像好长一段时间。

拥抱着死去儿子的母亲,一股可怜、不幸的感觉让我的心一点儿一点儿沉重了起来,我感到无比悲伤、难过。

这不是一座雕像吗?这就是米开朗琪罗叔叔的作品吗?

没错,米开朗琪罗原本是一位雕塑家。

4. 拉斐尔的《雅典学派》

"我一定要出席吗？时间怎么过得这么慢？"

终于到了公开作品的日子，米开朗琪罗一大早开始就显得坐立不安。弗朗西斯科从厨房走了出来，对他说："冷静点儿。为什么这么焦躁，一点儿也不像你？"

"有多少人等着我出错？像是以拉斐尔为首的那群画家，我只要被他们抓到任何一点奇怪的地方，他们就一定会说：'雕塑家还给人画什么画？'像这样对我大肆嘲笑。"

"不会的。怎么会有人嘲笑你？别担心了，快去换件干净的衣服吧！"

米开朗琪罗在前往西斯廷教堂的路上，依旧不断低声嘟囔着，而弗朗西斯科则在一旁给予安慰。教堂前已挤满了人，喧闹不已。弗朗西斯科对米开朗琪罗窃窃私语说："没想到教皇一下令允许市民观赏穹顶壁画，这人就多到好像整个罗马城的人都来了。"

不久后，教皇也抵达教堂。教堂的门一打开，教皇便率先走了进去，米开朗琪罗一行人则跟在后头。费德里柯和拉斐尔也在其中。

"哇，我的天哪！"

"哇！"

赞叹声此起彼伏，我也加入这阵声浪里。我之前爬上脚手架观看亚当与夏娃时，已经觉得很厉害了，没想到完成后的画作更加壮观。充满肌肉的人物分别做出不同的动作，布满了教堂的穹顶。教皇看起来也相当满意，不停地哈哈大笑。

"不愧是米开朗琪罗，我要赐给你奖金。真希望能快点看到剩下的画作，赶紧接着画吧！"

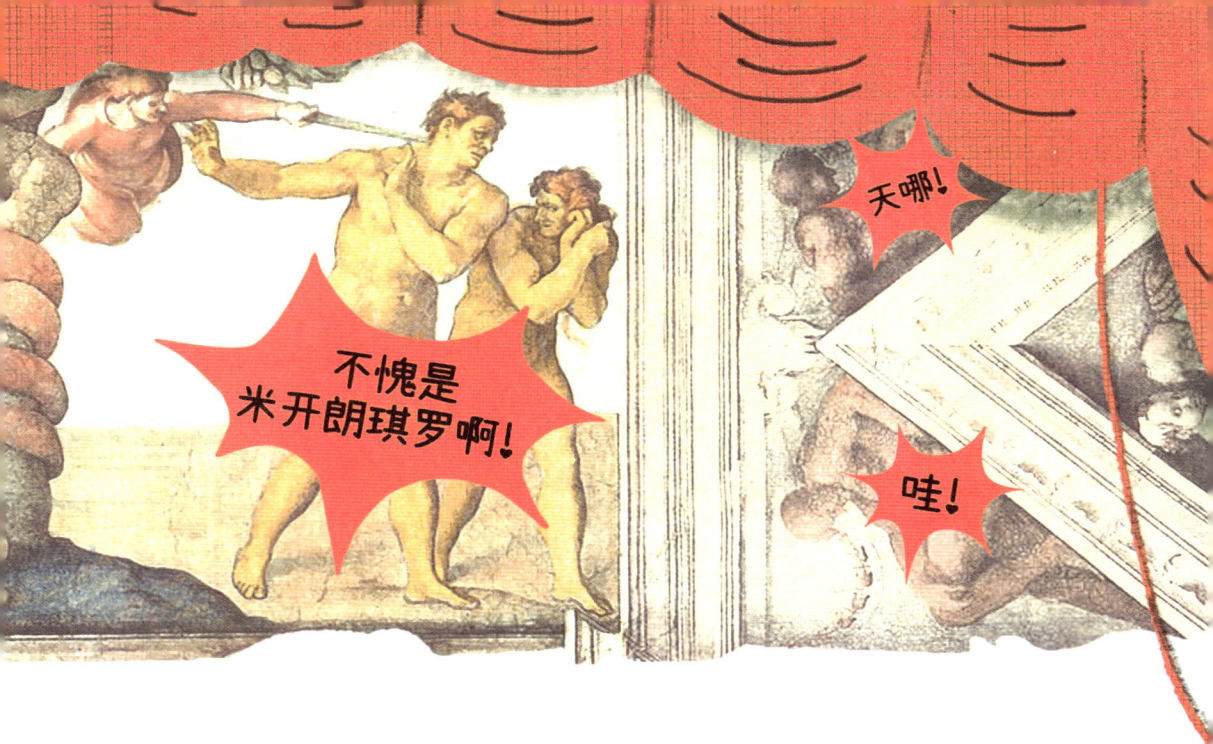

米开朗琪罗单膝跪下,亲吻了教皇手上的戒指。人群中传来微弱的拍手声。我环顾着教堂中的人们,所有人都面露欣喜。有些人用手指着画,有些人则看着米开朗琪罗,并和身旁的人交头接耳。不过,全场只有两个人脸色不佳,那就是拉斐尔和米开朗琪罗。

"有多少人等着我出错?像是以拉斐尔为首的那群画家。"

米开朗琪罗曾经这么说过。米开朗琪罗说的这句话是真的吗?拉斐尔是因为没有抓到米开朗琪罗的失误,而感到心情不佳吗?

这种心情我可以体会,每当智悟表现得比我好时,我也会觉得心情不好。但是,我却想不通为什么米开朗琪罗也板着一张脸。

"泰悟。"是费德里柯，他比了个手势，要我跟他一起出去。

"泰悟，你今天看起来心情非常好。"

"有吗？"

"嗯！你这么喜欢米开朗琪罗的画啊？"

"因为太了不起了。"

"你们也觉得很惊艳吧？我也一样。不愧是米开朗琪罗啊！"声音从我的背后传来，是拉斐尔。刚才他还露出不高兴的表情，转眼间他的脸上却已笑容灿烂。我向拉斐尔问道："这句话是真心的吗？"

"当然！这是我人生中最佳的经历之一。"

"但是，你刚刚为什么看起来脸色不太好？"

"你看到我的表情了？我是因为他的画作比我想的还要出色，所以暂时愣住罢了。看过他的作品之后，我也下定了决心：我拉斐尔也要开创自己的艺术世界！"

看来拉斐尔是来挑毛病的这件事，完全是我在胡思乱想。

"啊对了！你们过几天，要不要来'签字厅'一趟？有一幅新的画作要给你们看。"科斐尔微笑着说。

"好！"费德里柯和我齐声回答。

"我还有事，先走了。"拉斐尔离开后没多久，教皇也走出教堂，而费德里柯也和我分开了。等到人们像潮水般退去后，教堂里只剩下米开朗琪罗独自一人。

4. 拉斐尔的《雅典学派》

"我怎么会画成这样?"

米开朗琪罗双手抱着头,陷入深深的痛苦中。明明画了这么出色的作品,为什么是这种反应?他该不会是打算放弃绘画吧?

"叔叔的作品很出色,人们都赞叹不已呢!"

"那些人懂什么?我可是看得清清楚楚,穹顶壁画中的人物太多,也太小了,整个画面看起来很复杂。我忘了这是要从下面仰头欣赏的画了。"

"哎呀,何必为此烦恼呢?绘制剩下的部分时,更用心一点儿不就好了?"

"不用你说我也会这么做。人物的大小再放大一些,数量再少一点儿。"米开朗琪罗生气地说道。

尽管如此,米开朗琪罗还是很厉害,因为就算没有人看出来,他也能自己找到需要改善的地方,甚至为此陷入苦恼。这让我对他产生了深深的敬意。

奇妙的人文冒险　米开朗琪罗的穹顶壁画

第二天，西斯廷教堂里再次传出嘈杂的敲打声。米开朗琪罗又架起了脚手架，而弗朗西斯科则是忙着寻找协助绘画的人。弗朗西斯科说，穹顶壁画是无法一个人完成的工作。

我也曾看过拉斐尔和许多人一起工作的场面，所以可以理解。

米开朗琪罗、弗朗西斯科和我在清晨就起床，并在拖车上堆满水桶、颜料、画笔、素描本等用具，然后一同前往教堂。米开朗琪罗走在最前面，弗朗西斯科拉着拖车，而我则帮忙在最后面推着拖车。

"泰悟，你想睡的话，要不要坐着拖车过去？"弗朗西斯科回头问道。

不管什么时候，弗朗西斯科总是很亲切，每当我有问题，他都会用浅显易懂的方式向我说明。绘制穹顶壁画的方法也是弗朗西斯科告诉我的。

那时，我问他为什么工人大叔们要在天花板上涂抹石灰。

他解释说："如果在干燥的墙壁或天花板上涂颜料，颜色很快就会掉！但是，如果先在墙面涂上石灰，让墙面带有水汽后再上色，颜料就会比较容易被吸收。因为在涂上石灰的墙面变得干燥的同时，颜料也会跟着变干，画作就不容易变色或斑驳。这就是所谓的湿壁画。"

想要创作湿壁画，必须在石灰墙面干掉前将颜料涂上，所以动作必须很快，也必须很勤劳地工作才行。

正因为如此，米开朗琪罗从清晨工作到深夜。

甚至到了午餐时间，当其他人都从脚手架上下来用餐时，他却咬着面包，还在脚手架上继续为墙面上色。

每天工作结束，他从脚手架上下来时，他的衣服和头发上也总是沾满了颜料和石灰泥。

回到家后，米开朗琪罗也是一刻都不肯休息，总是马上就坐在宽敞的桌子前画素描。

如果觉得累了，他便直接倒在床上，衣服没换、连长靴也没脱。

如果米开朗琪罗因为太累而无法一大早起床，那就可以看到他倒在床上睡得不省人事的样子。

幸好，绘制穹顶壁画的工作平安无事地进行着。我坐在教堂里，偶尔会抬头仰望着脚手架打呵欠。

有一天，费德里柯突然来西斯廷教堂找我。

"泰悟，你要不要去拉斐尔叔叔画画的房间看看？"

"啊！就是他之前邀请我们去的房间？"

"嗯，签字厅。就是教皇签署重要文书的房间。"签字厅就在我们先前去过的房间隔壁，距离西斯廷教堂也不远。

拉斐尔和之前一样高兴地迎接我们。不过，这次房间里没有其他画家，只有拉斐尔一人。

...

4. 拉斐尔的《雅典学派》

我和费德里柯走到拉斐尔的壁画前。那是一幅描绘人们三五成群地聚集在一间宽敞房间聊天、讨论事情、看书的画作。费德里柯告诉我，那幅画叫《雅典学派》，描绘了古希腊哲学家们的形象。费德里柯说完，拉斐尔就开口问道："费德里柯，你能找出这幅画跟你之前看过的有哪里不一样吗？"

"有新的人物！在这里！"

费德里柯毫不犹豫地指出画中一位靠着阶梯而坐的男子，他的长相和米开朗琪罗一模一样。画中的角色都各自聚在一起谈天说地，只有长得像米开朗琪罗的男子独自蹲坐在一旁，并一直在纸上书写着什么。

费德里柯向拉斐尔问道："《雅典学派》不是已经完成了吗？为什么还要另外画上新的人物呢？"

"我曾经说过，这幅画里的人物，大多是我所认识的人。

"对！你还说这位是莱昂纳多先生。"

费德里柯指着画面正中央一位身穿鲜红色衣服的老爷爷说道。这位莱昂纳多先生就是达·芬奇。我仔细一看，那是曾在智悟的书中看过的面孔。达·芬奇的额头前面没有头发，并且留着长长的胡子，很容易就能认出来。

"我和米开朗琪罗并不熟识，所以一开始才没有把他画进去。不过，看到西斯廷教堂天顶画的那天，我便产生了一定要把他画进画里的想法。因为，他有资格将形象留在壁画中。泰悟，

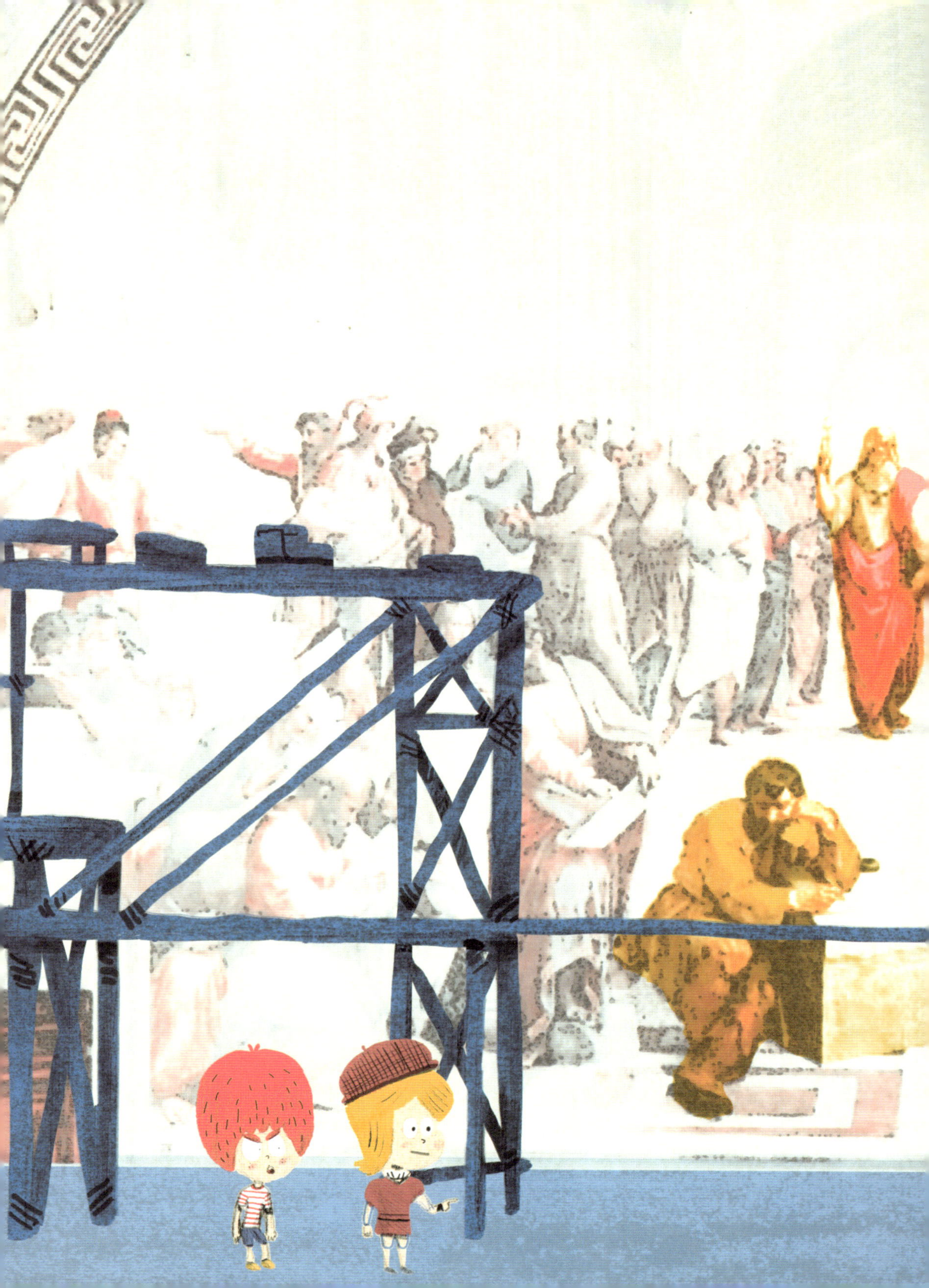

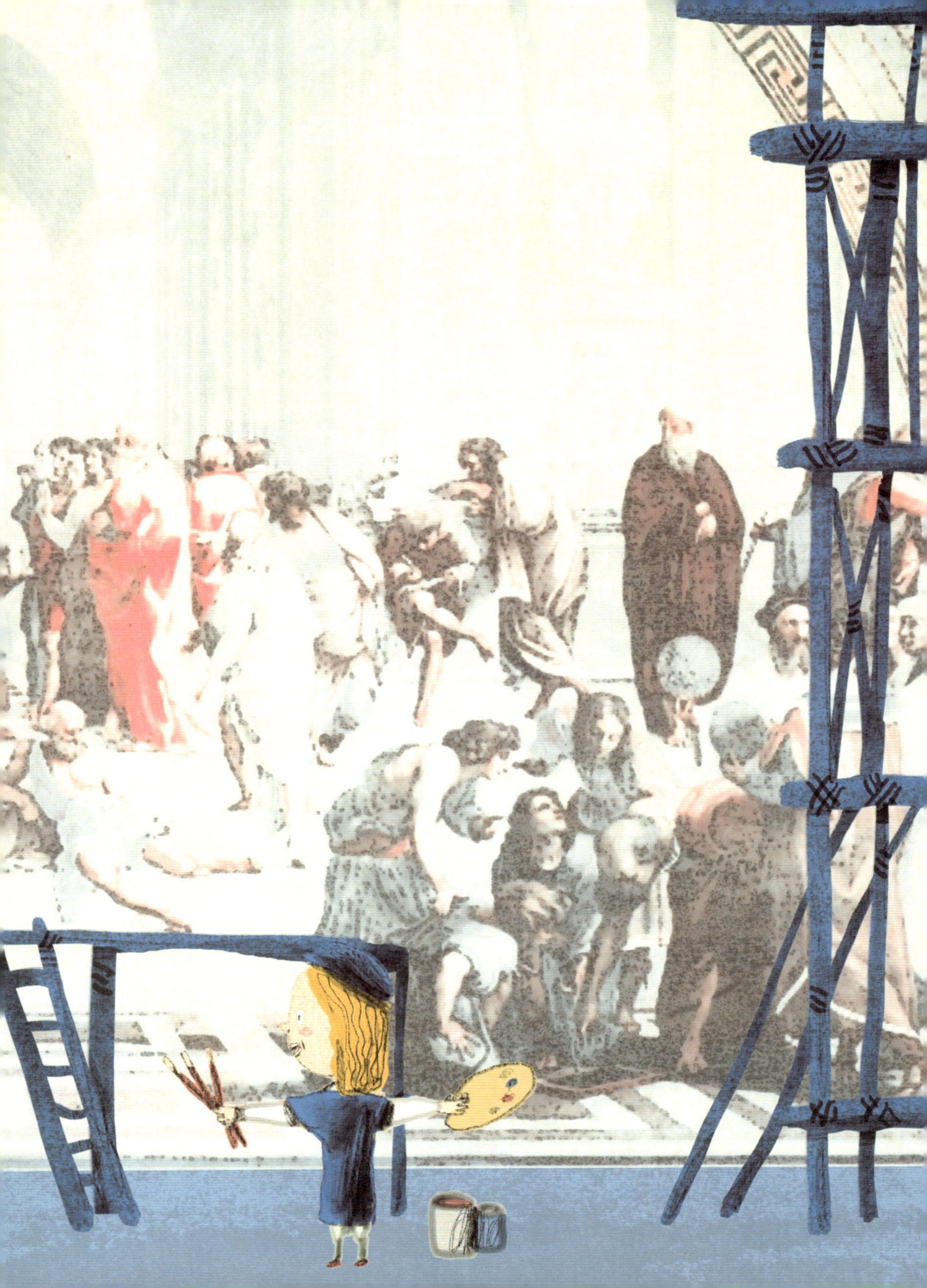

怎么样？有没有把你师父孤独的样子描绘得很传神？"

"有，看起来很像。"

一开始看到米开朗琪罗独自蹲坐在一旁的样子，我感觉不是特别好，但是听了拉斐尔的说明后，失望的感觉瞬间消失了。我和费德里柯在签字厅待了一会儿后便离开。

接着，我回到西斯廷教堂，和孤独的米开朗琪罗会合。米开朗琪罗正在脚手架上忙着画画，但弗朗西斯科却不见踪影。我也爬上了脚手架。

米开朗琪罗笔下诞生了一名男子，摆出了斜躺的姿势。这名男子身上充满了肌肉，手臂轻架在膝上，手指看起来很放松。这个肌肉发达的男子，我好像也曾经在智悟的书上看过，但是我想不起来他是谁。

不过，此刻我却无法开口问米开朗琪罗，因为他正沉浸在绘画的世界里。

等我回家之后再问智悟吧！看起来穹顶壁画的作业应该不会被中断，我想我应该可以回家了吧？我走到梵蒂冈宫的偏僻角落，把猫咪贴纸放在眼睛上。

贴纸无力地飘落。"咦？怎么会这样？"

来这里时，贴纸能紧紧贴在双眼上，这次却怎么贴也贴不上。

"该不会回不去了吧？不，不会的。一定是时间还没到。"我一边担心一边走着，突然看到一群人聚在一起窃窃私语。

> 听说教皇好像快死了……
>
> 这次的病情好像不太一样。

　　我本来想要直接经过那群人,但是他们的对话中提到了我熟悉的人,让我不自觉地竖起耳朵、停下脚步。

　　"听说教皇好像快死了。教皇全身散发滚烫的热气,连身旁的人也认不出来了。"

　　"反正,最后一定会好起来的。之前也听说他快死了,结果还是康复了。"

　　"这次的病情好像不太一样。听说教皇的侍从已经开始搜刮值钱的东西,准备逃跑了。"

　　我倒不觉得这件事很严重。

　　教皇年纪很大,本来就容易生病。不过,米开朗琪罗和弗朗西斯科的想法好像和我不同……

　　"听说教皇病得很重。人们私下都在说,教皇说不定很快就会过世。"

　　在和米开朗琪罗、弗朗西斯科回家的路上,我平静地说着

奇妙的人文冒险　米开朗琪罗的穹顶壁画

教……
教皇……

听说病得很重。

在路上听到的消息。

但是，米开朗琪罗和弗朗西斯科却突然停下脚步。米开朗琪罗大声问道："你说教皇怎么了？"

"我说，他的病严重到快要过世了。"

米开朗琪罗与弗朗西斯科互相看着对方，呆呆地愣在原地。

5. 猫咪向导的处方

"泰悟，你不是说有朋友在梵蒂冈宫？"我们一回到家，弗朗西斯科便抓着我的手臂问。

"对，他叫费德里柯。"

"你可以帮忙问问你那个朋友，教皇的状况还好吗？"

"如果我遇到他的话，一定帮忙问。不过，教皇生病和叔叔你们有什么关系？"

"西斯廷教堂的穹顶壁画是和这一任教皇签约后才进行的工作。如果在作品完成前教皇不幸过世，米开朗琪罗的努力就白费了。"

"为什么？"

"如果是你，会愿意帮别人支付报酬吗？下一任教皇肯定不愿意支付米开朗琪罗作画的费用，因为不是他自己亲自推动的事。说不定他还会另外找来自己喜欢的艺术家，重新绘制穹顶壁画。"

奇妙的人文冒险 米开朗琪罗的穹顶壁画

听了弗朗西斯科的说明,我才发现事情的严重性。所以,直到壁画完成的那一刻,教皇都必须健康地活着才行。我又想起猫咪向导曾说过的话……它说过任务的关键在教皇手中。如果教皇的病不严重,猫咪向导就不会派我来这里了。这么说来,难道我必须救教皇一命?

"我要怎么救教皇?我又不是医生。唷,猫咪向导真是的!至少也帮我准备一下治疗的药吧!"

我整晚一直翻来覆去,好不容易才昏昏沉沉地睡去。等我再次睁开双眼,已经是第二天清晨。我听见米开朗琪罗与弗朗西斯科正低声交谈着……

"还有人跟我一样不幸吗?"米开朗琪罗抱怨道。

弗朗西斯科一如既往地安慰他:"人总是会遇到难关。"

52

5. 猫咪向导的处方

"年轻的时候,我不顾父亲反对学了雕塑。之后,我便在意大利各地流浪,经历过各种大大小小的事。原以为终于可以放心创作,结果又发生这种事。"

"泰悟会去打听教皇的情况,我们先等他的消息吧。不要这么快就往坏处想。"

静静地等着两人结束交谈后,我走进厨房。我们三人默默无语地吃着饭,然后一如往常地拉着拖车前往梵蒂冈宫。米开朗琪罗和弗朗西斯科进入西斯廷教堂,我则在梵蒂冈宫四处奔走,寻找费德里柯的身影。我先去了拉斐尔作画的签字厅,那里是教皇工作的地方,我觉得签字厅应该离教皇的房间不远。

不过，签字厅的门被上了锁，附近的几个房间也一样。我仔细寻找长廊上的每个角落后，便沿着阶梯走上楼。楼上的情况也和楼下没有什么差别，我想找人打听，可四周连个人影都没有。

"如果到花园走走，会不会像上次一样遇到一些正在闲聊的人呢？"

我连忙往阶梯走去。

"泰悟，你在这里做什么？"

"费德里柯！"因为高兴我不自觉地提高了音调。费德里柯正从楼上走下来，我们在阶梯中间的平台上相遇。

"教皇的情况怎么样？"

"你也听说了？ 坏消息总是传得特别快。"

费德里柯的声音听起来无精打采，脸色也与平时不同，看起来非常灰暗。看来教皇真的生了重病，搞不好还可能因此过世。

"教皇他哪里不舒服？"

"他从打猎回来之后就开始发烧，之后病情越来越严重，现在只能卧病在床，什么事都做不了。"

虽然知道症状，但我却束手无策，不禁感到非常郁闷。

"医院呢？不，医生怎么说？"

"医生当然时时刻刻陪在教皇身边。但好像就是因为这样，教皇才更觉得辛苦。"

"这是什么意思？"

5. 猫咪向导的处方

"因为医生不让他做任何事。他想要到处走走,顺便处理一些工作甚至是对人大吼大叫,但是现在什么都做不了,所以觉得非常烦闷。"

费德里柯的话,让我突然想到猫咪向导曾经说过:"让教皇可以像平常一样行动,这样才能让米开朗琪罗继续绘制天顶画。"

就是这个!让教皇像平常一样行动,这就是猫咪向导给的处方。我要把这个处方告诉教皇。

"费德里柯!我们要让教皇可以像平常一样行动!如果他什么都做不了,说不定真的会出事。"

"医生听了一定会大发雷霆。"

"不能带我去见教皇一面吗？"

"医生不会允许的。最近教皇的房间禁止任何人进出。"

"所以我才会来拜托你。你就帮帮我吧！"我真诚地恳求道，可费德里柯缓缓地摇摇头。

"我一点儿办法也没有。上次我说会帮你制造机会，但我没料到会发生这种事。现在情况完全不同了。"

费德里柯好像不会轻易答应我的请求，但是我也不会就这么放弃。我一定要让米开朗琪罗叔叔完成西斯廷教堂的穹顶壁画。

"拜托你了，费德里柯。虽然很难跟你解释清楚，但是请你相信我，人如果不能做自己想做的事，肯定会因为累积太多压力而病得更严重。"

"压力？"

"如果一件事情没有照自己的想法发展，那么不管是身体还是心都会觉得不舒服。那种感觉就是压力。"

"我好像也染上了这名为'压力'的病。我想回家却回不了，所以觉得很痛苦。如果可以见母亲一面，我应该就不会有这种郁闷的感觉，但是事情总是不尽如人意，让我觉得忧郁无比。"

费德里柯居然也有这种故事。我默默握住费德里柯的双手。

"泰悟，我想你说的对。为了教皇的健康……"费德里柯话还没说完，就被打断了。

5. 猫咪向导的处方

"你们聚在这里做什么?"一名男子站在阶梯高处瞪着我们。

"竟敢在身为医生的我面前,大肆谈论教皇的健康。怎么会有这么可恶的人?"

教皇的医生恶狠狠地瞪着我。费德里柯急忙挺身而出,想帮我解释:"萨穆尔医生,不是这样的……"

"费德里柯,你去见教皇一面。"

费德里柯看了看我的脸,然后往楼上走去。原本站在阶梯高处的医生,则走到我所在的阶梯平台,逼问我说:"你是谁?在哪里工作?"

"我是在西斯廷教堂协助米开朗琪罗的泰悟。"

"哼,就是个不值一提的艺术家啊!梵蒂冈宫可不是小孩可以随意走动的地方。你那阴险的心思,就算刻意接近费德里柯也无法成功。既然你是在教堂里工作的人,姑且相信你是听懂我的话了。不准你在这附近闲晃!"

奇妙的人文冒险　米开朗琪罗的穹顶壁画

医生竟瞧不起我。我心里很不是滋味。

"萨穆尔医生!教皇请你和泰悟一起上来见他。"说话的是费德里柯。

医生皱着眉头往楼上走,而费德里柯则向我招了招手,要我赶紧跟上。

一走进教皇的房间,我就看见教皇无力地躺在床上,完全不是先前那个动不动就大吼大叫,还朝着米开朗琪罗挥舞拐杖的样子了。

"我听费德里柯说,你有新的处方?"

教皇的声音非常虚弱,尽管只是说一句短短的话也很费力。

"没错,就是让教皇陛下做您想做的事。教皇陛下必须做自己想做的事,让自己的心情放松。"

"这么做就能活下去吗?"

"是!"

我自信满满地回答。因为这是猫咪向导的处方,肯定没错。

"萨穆尔,就照这孩子说的做。"教皇对医生下令道。

"陛下!万万不可。您怎么可以相信这

5. 猫咪向导的处方

种孩子的话……"

"就因为他是孩子,我才相信他。这几天侍从们做了什么事,你也看到了吧?"

"是,陛下。"

"所有人都忙着抢值钱的东西打包行李逃跑,甚至有人祈祷我能赶快去天国。当所有人都背叛我的时候,只有一个人还守在我身边,就是这孩子——费德里柯。"

教皇向费德里柯伸出了手,又缓缓放下。

"这孩子可是我的人质。为了防止曼彻斯特公爵发起战争、攻打我们,我才把他的长子费德里柯带来这里。本来这孩子应该要怨恨我的,但他却还担心生病的我,所以,我相信他。孩子们是真心的,看看他们的双眸就知道了。"

尽管很费力,教皇还是把他想说的话全都说了出来。

"陛下,就算是这样……"

"反正难逃一死,就算只有一天,我也想活得像我自己,用朱利叶斯二世的方式好好活一次。"

听了教皇的话,医生一句话也说不出来。

"我要为这两位小朋友举办一场宴会,快去准备!我好想吃水蜜桃,还想吃鱼子酱和猪肉、橄榄、葡萄酒,还有……"

奇妙的人文冒险　米开朗琪罗的穹顶壁画

　　教皇把自己想吃的东西一个一个说出来。医生向教皇低头行礼后，便走出房间。

　　"你过来。"教皇朝着我招了招手。

　　我走近教皇的床边。

　　"你为什么希望我痊愈？"

　　"我听说，只有教皇陛下健康，米开朗琪罗叔叔才可以顺利完成穹顶壁画。"

　　"哎呀，狡猾的家伙。原来你不是担心我，而是担心那个从佛罗伦萨来的家伙呀！"

　　教皇闭上双眼，低声嘟囔着。他口中的"从佛罗伦萨来的家伙"肯定是指米开朗琪罗，因为我担心的人就是米开朗琪罗。

　　"我也很想亲眼看看。"教皇睁开原本闭上的眼，露出微笑，"从佛罗伦萨来的那家伙所画的作品，我也想亲眼看看。"

6. 最强的道具

尽情享用各种美食后，我回到西斯廷教堂。一回到教堂，弗朗西斯科和米开朗琪罗便急忙从脚手架上下来。

"教皇怎么样？说他没办法下床行动的传闻不是真的吧？"弗朗西斯科不停追问着，米开朗琪罗也等着我的回答。不用说也看得出来，他们很担心教皇的身体状况。

现在我必须让他们放心才行。

"教皇应该马上就会康复了。看他吃东西时很正常，说话时也很流畅。"

"你看吧！我之前不是说了？教皇是曾经上过战场的人，没有这么容易就倒下。现在你可以放心，继续作画了。"

弗朗西斯科一边大声地说，一边拍着米开朗琪罗的背。米开朗琪罗也松了一口气，表情轻松多了。

"明天开始，我得赶紧加快工作的速度了。我们要比现在更早出门，然后画到更晚再回家。"

奇妙的人文冒险　　米开朗琪罗的穹顶壁画

米开朗琪罗一边爬上脚手架一边说着。弗朗西斯科接着米开朗琪罗的话,开玩笑地说道:"是,是。我知道了。我这就去准备烛火。"

我也决定在一旁帮忙。米开朗琪罗虽然不让我跟他一起作画,但是允许我帮忙把颜料倒入水中调色。

不过,之后的日子我连做这件事的时间也没有了,因为教皇时常找我。

自从见过我之后,教皇做了所有想做的事,吃遍了各种想吃的食物,还叫我和费德里柯坐在身旁,听他说以前的丰功伟业。教皇的健康状态渐渐好转,高得吓人的体温也一点儿一点儿降下去了,马上就可以离开床铺,一个人自由行动了。

有一天,教皇在花园里召见我。教皇和费德里柯站在一座雕像前。那是一条巨蟒紧紧缠住三名男子的雕像。从男子们扭曲的面孔,可以感觉到他们的痛苦。

"这是《拉奥孔与儿子们》。费德里柯,你应该知道拉奥孔是谁吧?"教皇问道。

这是《拉奥孔与儿子们》

6. 最强的道具

"是，他是希腊神话中特洛伊的祭司，能代表人们向神灵祈祷。"

"没错。在特洛伊和希腊发生战争时，他识破了希腊的"木马计"，请大家不要将木马带进城内。支持希腊的众神为了让希腊获胜，便派出海蛇，想杀了拉奥孔与他的两个儿子。"

听了教皇的说明后，我再看向雕像，仿佛能听见拉奥孔和他的儿子们所发出的悲鸣。

"呃啊啊！绝对不能收下木马！这一切都是希腊的阴谋！呃啊啊！"

智悟曾经说过，在蒙克的《呐喊》中，他仿佛能听见画里面人物的呐喊声。那时，我还不相信。不过，现在我居然能听见拉奥孔的哀号。

对雕像背后的故事产生兴趣后再仔细观察，就能看见不同的样貌，甚至听见不一样的声音。

不过，拉奥孔雕像上有个奇怪的地方：这座雕像缺了右手，我猜应该是碰撞到某个东西后才断裂的。我向教皇询问原因，教皇这么回答我："雕像从葡萄园被挖出来的时候，就已经缺了一只手臂。"

"被挖出来？您是说，这座雕像不是现在的人创作的，而是以前的人的作品吗？"

费德里柯对我说："能做出这样的推理，你还真是聪明。没

6. 最强的道具

错,这是一座古代的雕像。虽然不能确定是 1700 年前,还是 1600 年前的作品,但可以确定的是它的历史非常久远。"

1600 年前……这遥远的时间让我惊讶得合不拢嘴。

"就算有一天人类和国家都成为尘土,艺术还是会永远流传下去。"

教皇用手轻抚雕像,好像在为雕像擦去灰尘。

接着,我们来到梵蒂冈宫外的建筑工地。上次我曾和弗朗西斯科来过这里,米开朗琪罗雕塑的作品也在这里。

奇妙的人文冒险　米开朗琪罗的穹顶壁画

"圣彼得大教堂正在进行重建。看了设计图,不知道完工后会有多么美丽。在我死之前,不知道是否有幸能看到大殿完工。"

"哎呀!"

教皇正说着严肃的话题,我却不识相地发出叫声。但那是因为我踩到路上的石头,脚不小心扭了一下。

"没事吧?"

费德里柯抓住了我的手臂。教皇继续说着,一边用拐杖将石头往外拨。

"曾是世界首都的罗马居然变得这么老旧荒芜。平整的道路变得凹凸不平,神殿所在的地方变成菜市场,原本壮丽的宫殿倒塌后,则变成了葡萄田或山羊们的游乐场。我想要让衰败的罗马再次成为美丽的城市,所以我才会召集艺术家们,委托他们设计建筑或创作壁画。不过

66

6. 最强的道具

看来我接下来要做的事还有很多啊……"

教皇叹了口气,接着环顾四周并低声细语道:"嗯哼,是天气还是今天说了很多话的原因?我觉得喉咙有点刺痛,看来该回宫去了。"

当教皇走在梵蒂冈宫通往房间的阶梯时,好像突然想起了什么。他停下脚步,接着转身走下阶梯,快速穿过长廊,前往西斯廷教堂。

"米开朗琪罗!"教皇对着脚手架大喊道。

米开朗琪罗从脚手架上爬了下来,亲吻了教皇手上的戒指。

"天顶画进行得还顺利吗?"

"是,陛下。"

"加快动作。在你的画完成前,我可没有离开这个世界的自由啊!我也看得出来泰悟有多担心你的作品。"教皇开玩笑地说完这句话,便开始哈哈大笑。

米开朗琪罗也低下头,轻轻笑了一下。

"天顶画结束后,就回去做你最喜欢的雕塑吧!我坟墓前的雕刻装饰也要拜托你了。"教皇的话语中语气温柔了很多,然后他好像陷入了沉思。

"请您别担心,陛下。"

教皇和费德里柯一起离开了教堂。门一关上,米开朗琪罗随即回到脚手架上,而我也跟着爬了上去。

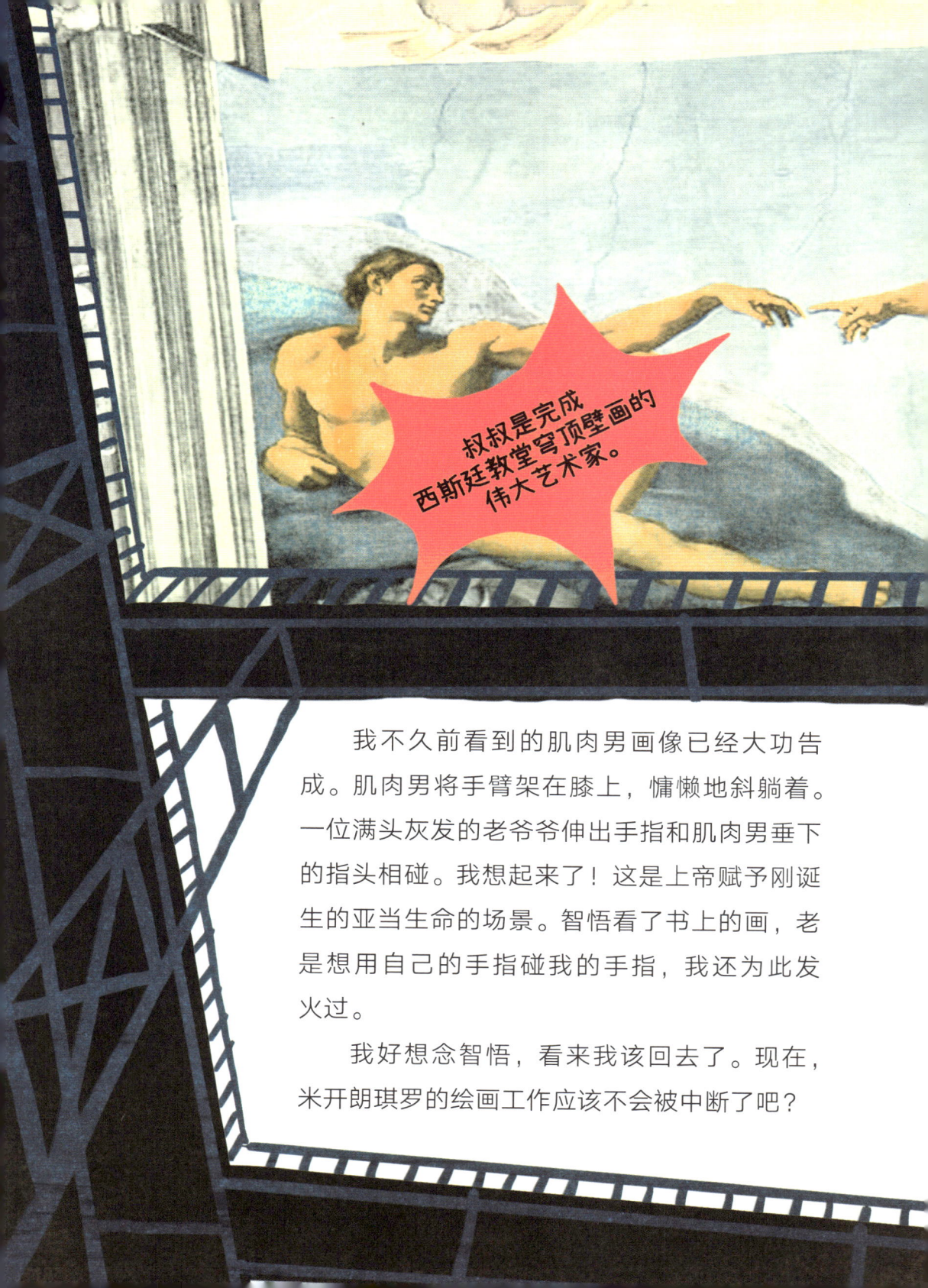

叔叔是完成西斯廷教堂穹顶壁画的伟大艺术家。

　　我不久前看到的肌肉男画像已经大功告成。肌肉男将手臂架在膝上，慵懒地斜躺着。一位满头灰发的老爷爷伸出手指和肌肉男垂下的指头相碰。我想起来了！这是上帝赋予刚诞生的亚当生命的场景。智悟看了书上的画，老是想用自己的手指碰我的手指，我还为此发火过。

　　我好想念智悟，看来我该回去了。现在，米开朗琪罗的绘画工作应该不会被中断了吧？

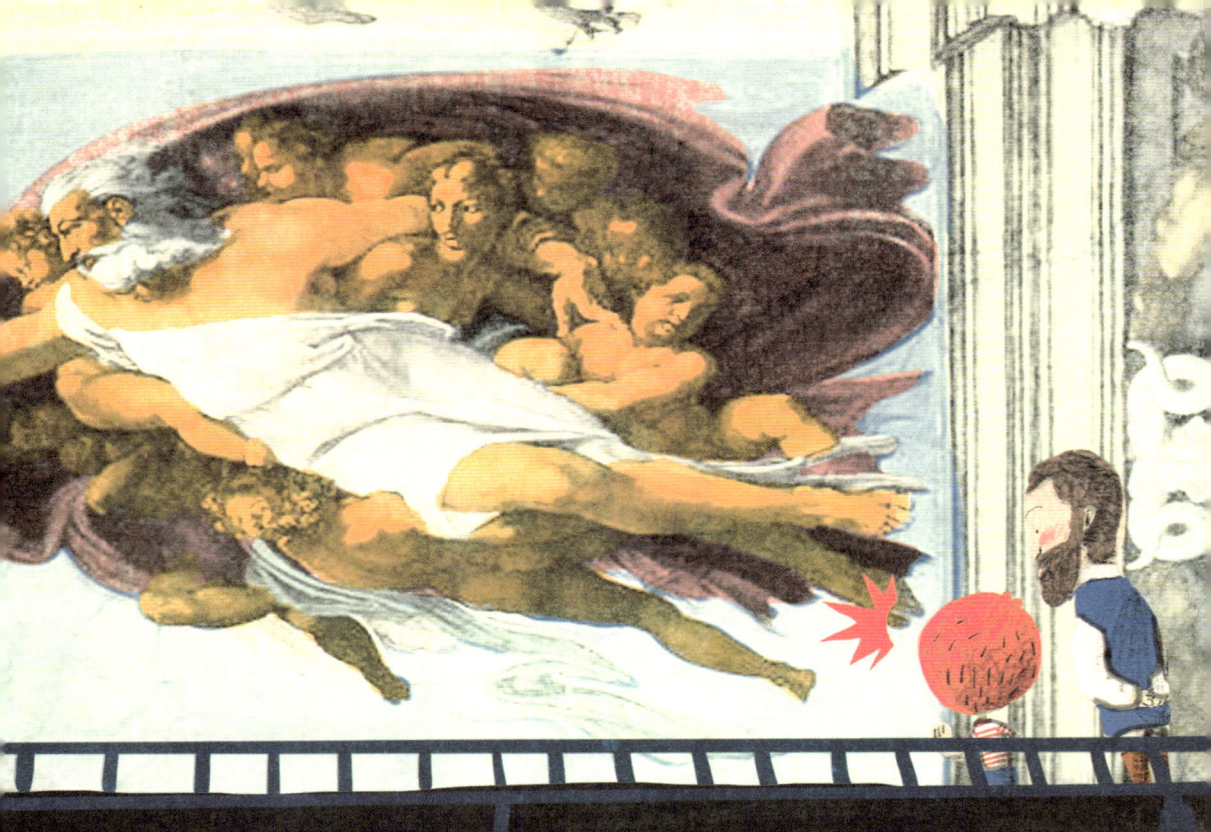

"叔叔。"

米开朗琪罗转头看着我，先是紧紧闭上双眼，然后又睁开。"眼睛有点模糊，看不太清楚。每天盯着天花板看，眼睛都看坏了。而且现在除了眼睛疲劳，邋遢的样子也跟落水狗一样可笑，这点我很清楚。"

哎哟，又在自讽自嘲了。不过，看着米开朗琪罗恢复老样子，让我放心许多。"一点儿也不可笑。叔叔是完成西斯廷教堂穹顶壁画的伟大艺术家。"米开朗琪罗盯着我看，就如同上帝与亚当互相对视一样，我和米开朗琪罗的视线也在空中相遇。

奇妙的人文冒险　米开朗琪罗的穹顶壁画

不久,他的目光重新回到自己的画作上。

"看来你回家的时候到了。那就不要在这里妨碍我,赶快离开吧!"

果然是米开朗琪罗式的生硬道别。

"请代我向弗朗西斯科叔叔说声谢谢,还有费德里柯。"

米开朗琪罗一边继续给墙面上色,一边点了点头。

我来到梵蒂冈宫的花园,把猫咪贴纸放在眼睛上。这次一下子就贴住了!跟我来到这里的时候一样,贴纸紧紧黏在我的眼皮上。啪!啪!啪!我拍了三下屁股之后,又像夹娃娃机里的娃娃一样被腾空"夹"起。

一瞬间我就又回到了美术馆。趴在凉亭地面上的猫咪向导对我说:"回来啦?辛苦你了。按照约定,我会让猫咪大魔法师现身。你先打开手机看看吧!"

猫咪向导用前脚把原本压在肚子下的手机推到我面前。

"啊!等一下。我先搜索一下天顶画。"

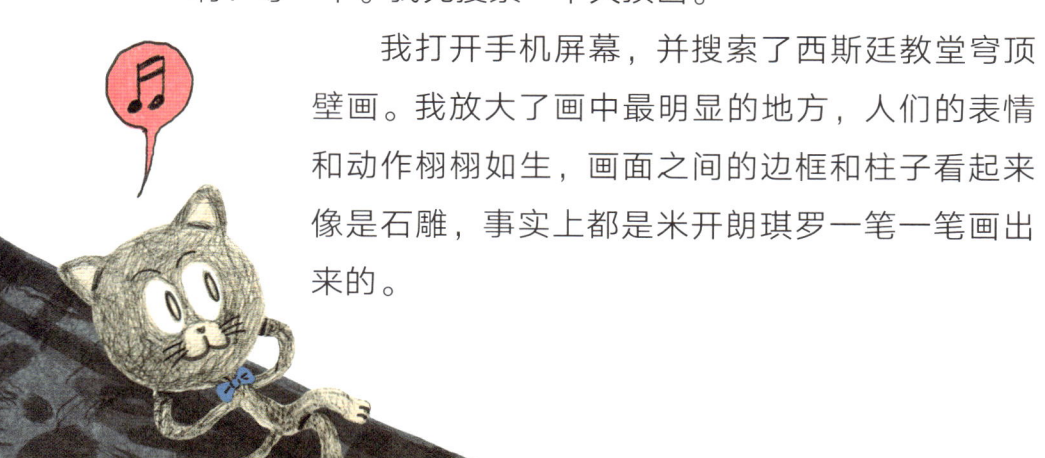

我打开手机屏幕,并搜索了西斯廷教堂穹顶壁画。我放大了画中最明显的地方,人们的表情和动作栩栩如生,画面之间的边框和柱子看起来像是石雕,事实上都是米开朗琪罗一笔一笔画出来的。

6. 最强的道具

我突然想起米开朗琪罗咬着面包给画作上色的样子、熬夜画素描而穿着鞋子睡倒的模样、为了看清楚我而不断揉着眼睛的样子……他应该改不掉啰啰唆唆的习惯吧？该不会又被恢复健康的教皇训斥了吧？

想到米开朗琪罗，我便感到一阵鼻酸，他为了完成穹顶壁画，可是费尽千辛万苦啊！如果教堂里没有这幅作品会怎么样呢？要是只留下一片灰白的墙面，或是在宽阔的墙面挂上容易沾染灰尘的帘幕，教堂会变成什么样子呢？

"喵！你哥来了。我该走了，是你自己不想要猫咪大魔法师的哦！"

猫咪向导跳出凉亭后，立即消失得无影无踪，我连和它道别的时间都没有。接着，我就看到智悟匆匆忙忙地朝凉亭走了过来。

"我就知道你在这里。听说这附近有很多魔法师，你有看到什么奇怪的魔法师吗？"

"没有，一个魔法师都没看到。"

"真的吗？我看看。"

智悟大吃一惊，连忙拿走我手上的手机。

"咦？这好像是《创世记》？"

"不对！这是米开朗琪罗在西斯廷教堂画的作品。"

"没错，这幅作品的名字就是《创世记》！"

难得表现出自己知道的东西，但是"炸弹"的回应让我感到有点难堪。

"不过，泰悟，我觉得你有点奇怪。"

"什么？"我生硬地回应智悟。

"没找到魔法师，你却没生气也没有不耐烦，反而还在手机上看画。你真的是姜泰悟吗？你该不会用了什么变身道具，假扮成姜泰悟吧？"

"你怎么知道？我是猫咪大魔法师，喵！观赏画作对你来说这么有趣吗？喵！"

我朝着智悟举起蜷成猫爪模样的手，智悟却撇开我的手。

"你这是什么问题！对刚从美术馆回来的哥哥，你就不能问点正常的问题吗？比如，'你欣赏作品的时候，有没有感动落泪过？'之类的……"

我打断了智悟的话。

"好啦，好啦！你欣赏作品的时候，有没有感动落泪过？"

"当然有。你知道挂在我们床头的画是什么吗？"

"你说那幅夜空的画？我不知道那幅画的名字。"

"是凡·高的《星夜》。听说那幅画是凡·高在精神病院画的。知道这件事的那天，我因为太心痛就哭了。"

我也有同感，人在医院也不忘创作，真是令人感到心痛。

"你知道我今天看了毕加索的画，有什么感觉吗？就好像飞上天一样兴奋。"

"为什么？难道毕加索画了鸟吗？"

"啊？不是这样啦！因为毕加索的想象力非常杰出，连我也觉得自由了起来。"

"所以才会这样吗？智悟你的背上……长了翅膀。"

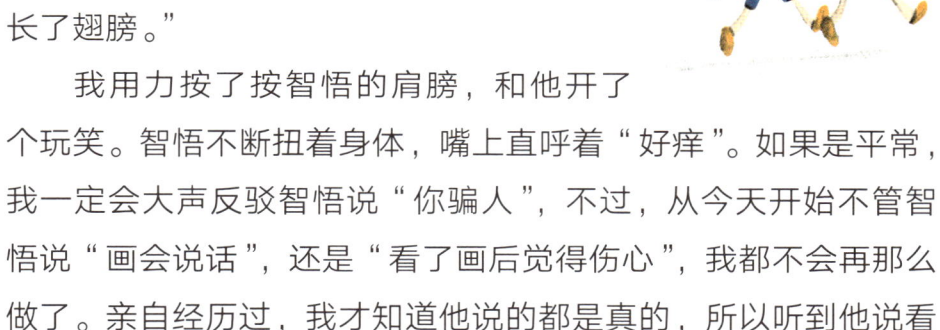

我用力按了按智悟的肩膀，和他开了个玩笑。智悟不断扭着身体，嘴上直呼着"好痒"。如果是平常，我一定会大声反驳智悟说"你骗人"，不过，从今天开始不管智悟说"画会说话"，还是"看了画后觉得伤心"，我都不会再那么做了。亲自经历过，我才知道他说的都是真的，所以听到他说看了画后，感觉自己好像在空中飞翔，我也没有一丝怀疑。

"喵！"

正当我要离开凉亭的时候，有一只猫从我眼前一闪而过。

"猫咪向导？"

那只猫的身上有着一条条的斑纹，看来它不是猫咪向导。之前一听到猫叫声，我马上想到的是猫咪大魔法师，现在首先想到的却是猫咪向导。它是一位比猫咪大魔法师还厉害的魔法师。从猫咪向导那里得到的奇妙的冒险之旅，真的超棒的！

猫咪向导的
人文课程

· 伟大历史人物的小传
· 世界艺术小史
· 培养思维能力的人文科学

奇妙的人文冒险　米开朗琪罗的穹顶壁画

伟大历史人物的小传

热爱雕塑的米开朗琪罗

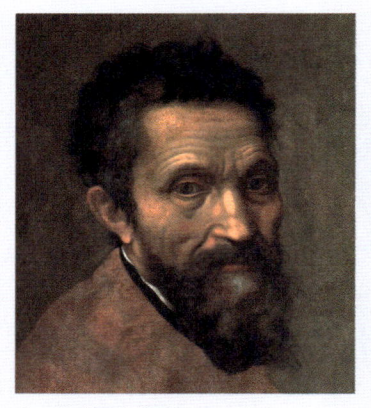

米开朗琪罗肖像

"我是雕塑家，不是画家！"

米开朗琪罗在接到绘制西斯廷教堂穹顶壁画的委托时曾这么说。不过，雕塑家米开朗琪罗第一次绘制穹顶壁画就非常出色。之后，他还负责设计建造圣彼得大教堂的圆顶，因此米开朗琪罗在历史上又多了一个"建筑师"的称号。

米开朗琪罗从小就表现出了美术才能。13岁时，他成为知名画家的助手，并于次年进入雕塑学院就读。

大约在他23岁时，米开朗琪罗在罗马雕刻《哀悼基督》后，便成为家喻户晓的雕塑家。他在佛罗伦萨创作的《大卫》也让他的名号更响亮。

《大卫》的原型是《圣经》中以一颗石头对抗巨人哥利亚的少年，但米开朗琪罗并未以少年的形象进行创作，而是将大卫雕塑成一名英姿勃发的青年。

相传创作《大卫》的大理石是有人雕刻失败后丢弃的石材。所以，万一米开朗琪罗在雕刻时出现任何一丝失误，别说要完成作品了，连这块大理石都只能废弃了。但是，米开朗琪罗却完美地雕刻出这座整体高度达5.5米的《大卫》。

在完成《大卫》的那年，米开朗琪罗差点和达·芬奇展开一场绘画对决。佛罗伦萨政府要求两个人分别负责市政厅两侧的壁画。

两位艺术家虽然接受了要求，但是壁画最终没有完成。米开朗琪罗在完成草稿后，因教皇的召见必须前往罗马；而达·芬奇则因新发明的颜料无法快速干燥，在画画过程中，颜料不断往下流，而不得不放弃了壁画的绘制工作。

来到罗马的米开朗琪罗接到教皇朱利叶斯二世的委托，为教皇制作装饰陵墓的雕像。

米开朗琪罗前往矿山，挑选了最高级的大理石。可是，雕塑工作却迟迟没有进展，因为教皇必须支付购买作品的费用，米开朗琪罗才能有钱雇用助手和维持日常开销。原来，这位喜怒无常又专制的教皇已经改变了主意，他要米开朗琪罗停下与陵墓相关的雕塑工作，先绘制西斯廷教堂的穹顶壁画。最初，米开朗琪罗拒绝了教皇，因为比起绘画，他更想进行雕塑创作。

但最后，迫于教皇的压力，米开朗琪罗还是接下了西斯廷教堂穹顶壁画的绘制工作。

接下来就像书中故事里所说的，米开朗琪罗历尽千辛万苦，完成了这个壮观的作品。

西斯廷教堂穹顶上的《创世记》

西斯廷教堂是举办教皇选举的场地。教皇选举是通过投票选出新一任教皇的重要活动。

教皇朱利叶斯二世要求米开朗琪罗在西斯廷教堂的天花板上绘制耶稣的十二门徒。不过，米开朗琪罗却说会以《圣经》中提到的《创世记》作为主题。

米开朗琪罗将教堂的穹顶分成好几个区块，并且画上《创世记》里出现的重要事件：神分光暗、神分水陆、创造亚当、创造夏娃、大洪水等。每个画面的边线和中间的空白处，也都被画上各种图案作装饰。

米开朗琪罗笔下的人物皆富有肌肉线条，并以半裸的形象出现在画中。米开朗琪罗一直很重视人的骨骼结构和动感的肌肉。为了知道肌肉的运动规律，他甚至还坚持研究人体解剖。

在米开朗琪罗绘制穹顶壁画的时候，教皇一直希望可以早日看到成品，所以时常询问米开朗琪罗什么时候才会完成绘制。甚至教皇每当从战场归来，第一个跑去的地方就是西斯廷教堂。

朱利叶斯二世又被称为"战士教皇",他为了树立教皇的权威,时常发起战争并亲自上战场。不过,朱利叶斯二世不只热衷于战争,对于艺术他也很有兴趣。

朱利叶斯二世在位期间,他召集了许多艺术家前来罗马,委托他们进行雕刻、绘画或建筑创作,同时还收集了许多历史悠久的雕塑作品。他想要通过美丽的艺术,提升罗马这座城市的价值与名望。托他的福,现代的人们才可以在现今的梵蒂冈博物馆内,欣赏到震撼恢宏的艺术巨作,并从中体验艺术珍品的非凡魅力,获得强烈的感动。

奇妙的人文冒险　米开朗琪罗的穹顶壁画

世界艺术小史

人类自很久以前就开始进行艺术创作，对艺术和美的追求也从未停下脚步。艺术在人类的历史中有什么意义呢？艺术又是怎么发展的呢？让我们从艺术的一个分支——美术，来一探究竟吧！

"爸爸，有野牛！"

1879年夏天，一名西班牙小女孩玛丽亚跟着爸爸来到乡村里的一座洞窟。玛丽亚在成年人难以进入的低矮洞窟中，发现了一幅奇怪的画。

"咦？是野牛！爸爸，这里有野牛！"

玛丽亚的爸爸是个具有专业水准的考古爱好者，他在经过长期研究后，对外宣布洞窟内的壁画是原始时代的杰作。不过，世人的反应却非常冷淡。

"如果是原始时代的壁画，颜色怎么可能这么鲜艳？"

"看看这些颜色，原始时代不可能出现这种颜料吧？"

"为了出名，连自己的女儿也利用，居然编出这种谎言。真是个骗子。"

阿尔塔米拉洞窟壁画局部

玛丽亚的爸爸受到众人的指指点点，最后痛苦地离开了人世。但是，过了很久以后，玛丽亚所发现的野牛壁画被证实是旧石器时代的产物。因为在附近的洞窟中，人们也发现了很多类似的壁画。玛丽亚和爸爸探索的洞窟，就是位于西班牙的阿尔塔米拉洞窟。

阿尔塔米拉洞窟壁画被发现后，又经过了60多年，一群好奇心旺盛的法国男孩在拉斯科岩洞中再次发现了壁画。拉斯科岩洞的壁画比阿尔塔米拉洞窟的壁画更加精致。拉斯科和阿尔塔米拉洞窟的壁画被证实是人类最早的美术作品。

到1994年，法国的肖维岩洞被发现后，纪录又被打破了。肖维岩洞中的壁画被证实是3万年以前的作品。近年来，考古学家又陆陆续续在西班牙、印度尼西亚、德国等地发现了年代久远的洞窟壁画和雕刻作品。

奇妙的人文冒险　米开朗琪罗的穹顶壁画

拉斯科岩洞壁画局部

洞窟壁画大多以熊、野牛、猛犸象、鹿、野猪等动物为画作主题。旧石器时代的人们为什么要把动物画在洞窟的石壁上呢？据学者推测，当时的人们应该是为了祈祷狩猎顺利，或是想借由动物的力量来驱散厄运，所以才在洞穴墙壁上画了动物。虽然现代人对于古人在岩壁上绘制动物画像的理由有各种不同的推测，但是可以确定的是，人类从远古时代，就开始用绘画来表现自己的想法与愿望了。

狩猎的内巴蒙

在公元前约1350年的埃及，有一位名叫内巴蒙的贵族男子，他死后被葬入了巨大的陵墓里。在这座陵墓内有壁画，上面画了内巴蒙的家人、庭院，以及他狩猎的情境。其中，狩猎的壁画描绘了内巴蒙在沼泽地区捕捉鸟类时的样貌。不过，画中内巴蒙的样子却有点奇怪，壁画中画的是内巴蒙的侧脸，但他的眼睛、肩膀与胸膛却是正面的样子；除了脸之外，内巴蒙的脚也是画成侧面的样子。

虽然我们觉得很奇怪，但这是埃及人所想到的可以表现出人类完整面貌的绘画方式。人的脸必须面向一侧，才可以显现出轮廓分明的鼻梁、嘴唇和下巴；眼睛得画正面的样子，才能看到完整的形状；肩膀与胸膛也必须从正面看，才能看出全貌；而下肢则须从侧面描绘，脚和脚趾才能一起被画出来。

内巴蒙壁画局部

埃及人绘画人像时，会特别去挑选身体各部位的完整样貌，是因为他们对永生的信仰。埃及人相信人死后，灵魂会暂时离开肉体，等待审判。在经过审判之后，灵魂还会重新回到身体内。接着，逝去的人将会前往另一个世界，获得永恒的生命。如果人在死后想要获得永生，身体就必须保持完整。所以，埃及人是为了死后的世界而绘制画作，埃及的美术也被称为"亡者的艺术"。

裸体男子之美

故事中，泰悟欣赏的雕像《拉奥孔与儿子们》，现在就收藏在梵蒂冈博物馆内。教皇朱利叶斯二世将许多古代的雕像收集到这里，其中另一个有名的希腊雕像作品便是《观景台的阿波罗》。

太阳神阿波罗雕像的前身是古希腊人打造的青铜雕像，后

奇妙的人文冒险 米开朗琪罗的穹顶壁画

来罗马时代的人用大理石仿造出一个一模一样的作品。

在这座雕像上,我们可以找到希腊人认为的所有"美的元素"。古希腊的雕塑家研究人的身体在哪种比例下看起来最美,结果发现最完美的比例就是所谓的九头身,意思是头部与身高的比例是一比九。

另外,希腊人认为人的裸体是世界上最美丽的事物。古代希腊人参加奥运会时,为了炫耀自己的身体,甚至会脱个精光参赛。不过,因为希腊是男性掌权的社会,所以只有男性可以全裸的,展现人体之美。女人是不可以裸露,也无法独自在外活动。希腊出现以女性为主角的雕像,已经是很久以后的事了。

文艺复兴

"波提切利,为了纪念结婚,我想要订制一幅画。"

"以维纳斯为主题好吗?维纳斯是爱与美的女神,这幅画将成为最适合夫人的礼物。"

15世纪80年代的某天,佛罗伦萨的贵族——美第奇家族的成员和当地画家波提切利进行了上面这段对话。

波提切利就在这段时间创作出了《维纳斯的诞生》这幅作品。上面这段对话看似平凡,但却显现了两项重要的事实:一是出现了以私人目的订购艺术品的人;二是出现了用古希腊、古罗马神话中的众神当作主题的作品。在那之前的中世纪，这些可都是完全无法想象的事。

在强大的西罗马帝国灭亡后，欧洲经历了约千年的漫长岁月，直到东罗马帝国灭亡，中间这段时期就被称作中世纪。中世纪时，基督教控制了整个欧洲社会，当时政治、经济、社会等所有领域都必须遵守基督教的规范，连艺术领域也是一样，所以当时的画作和建筑都要按照教会的要求进行创作，创作主题都与基督教信仰有关。因此那时画作中出现的人物，表情都非常严肃。使用彩色玻璃拼贴而成的彩绘玻璃也从那个时期开始盛行，成为一种艺术形式。在中世纪，艺术家们通常都是默默无名之辈。

希腊、罗马时代的雕像被破坏，也发生在中世纪。因为在中世纪时，人们被规定除了基督教的神外，不可以膜拜其他神像。这也是《拉奥孔与儿子们》这座雕像会被埋在葡萄园地下的原因。

但是，进入15世纪后，意大利开始产生变化。

这个时期出现了各式各样的艺术主题。在中世纪时不被许可的希腊、罗马神话，开始成为作品的主题之一。此外，个人的肖像画也在这个时期大量出现。

如果说中世纪的艺术是以"神"为中心，那么其后的艺术则以"人"为中心。

"这幅作品虽然是画，但是看起来好像雕刻作品。"人们看

奇妙的人文冒险　　米开朗琪罗的穹顶壁画

到画家马萨乔的画作，总是会发出这样的称赞。马萨乔在他的作品上，使用了可以表现远近距离的透视法：画离自己比较近的人、事、物时，会画得比较大，也会用比较鲜艳的颜色，或将线条画得很清楚；画远处的人、事、物时，则会画得比较小、比较模糊，借此展现作品的立体感。

另外，人们对于表现出人体之美的《大卫》雕像，也不吝啬地给予赞赏。艺术家们为

马萨乔的作品《圣三位一体》

了将双眼所见到的人类与自然样貌如实呈现，做了不少努力。当时还出现了像米开朗琪罗和达·芬奇那样的，为了正确画出人体而对解剖学感兴趣的艺术家。

这个时期的文化与中世纪的文化、艺术有很大不同，所以这个时期被称为文艺复兴时期。文艺复兴带有重新开始的意思。中世纪以前的希腊、罗马时代也盛行以人为中心的文化，到文艺复兴时，原本已消失的以人为中心的艺术才再次活跃了起来。

文艺复兴在意大利兴起有个很重要的原因。从中世纪开始，

意大利的沿海城市开始以地中海为中心发展海上贸易。频繁的贸易往来使这些城市变得很热闹，人们的思想也变得比较自由奔放。富裕的人家开始喜欢用艺术品装饰房子，尤其是住在佛罗伦萨的美第奇家族，他们以积极赞助艺术家而闻名。米开朗琪罗在年少时，也曾在美第奇家族设立的雕塑学校里学习。

美第奇家族世代持续着对艺术的支持。受这种社会氛围的影响，文艺复兴在佛罗伦萨绽放出美丽的花朵，接着向意大利其他城市如罗马和威尼斯扩散，最后甚至影响了整个欧洲。

"我们也挂一幅画吧！"

在文艺复兴时期，只有贵族、教会或政府机构会购买艺术品。但到17世纪的荷兰，一般市民也开始购买画作。人们前往艺术家的工作坊订购画作，或是在展览上购买作品，家家户户都会挂上好几幅画。平民百姓成为主要的顾客后，绘画领域也出现了改变。考虑到一般人没有太多的金钱，所以艺术家将作品的尺寸缩小了许多。创作的内容也变成人们所熟悉的静物画或风景画，同时，日常生活也开始成为绘画创作的主题，像是描绘在家缝衣的女人、演奏乐器的孩子，或是书写信件的人等风俗画也越来越普遍。

画家的数量也大量增加，并且发展出各自擅长的领域。当

奇妙的人文冒险　米开朗琪罗的穹顶壁画

维米尔的作品《戴珍珠耳环的少女》

时画家的分类方式不是以擅长风景画、静物画、人物画等来区分，而是以擅长画冬景、海景、花卉、水果等来区分。此后甚至还出现了只画早餐餐桌或晚餐餐桌的画家。

荷兰艺术大众化的原因，与大航海时代有很紧密的关系。在欧洲各国开始发掘新航路、开发新大陆的大航海时代，荷兰成为与亚洲进行贸易的领先者，开创了一段辉煌的黄金年代。那时，越来越多人的生活条件开始好转，也开始对艺术产生兴趣。无论是在平凡的农家里，还是在商店的墙上人们都挂起了画作来装饰。

这个时代的荷兰代表画家是伦勃朗，还有就是《戴珍珠耳环的少女》这幅画的作者维米尔。

喜欢创新的艺术家们

达·芬奇出生于意大利，并在意大利创作。但他的《蒙娜丽莎》等画作，现今被收藏在法国。

1516 年，法国国王法兰西斯一世邀请他在意大利认识的达·芬奇来法国旅居，达·芬奇在前往法国时，把《蒙娜丽莎》也带了过去。但是他到法国还没过几年，就不幸离开人世了，而他的作品就这样留在了法国。

当时的法国国王常常亲自出面，积极网罗意大利的艺术家，借此彰显王权。他们常常要求艺术家为自己绘制巨大的肖像画，或是雕塑雄伟的骑马像。不过，原本供王族与贵族专享的美术，渐渐向富裕的家庭甚至民众扩散，因此巴黎开始举办展览。展览一开始在王族的私宅举行，到1725年，卢浮宫举办了首次沙龙展。

所谓沙龙，是人们聚在一起喝茶，并谈论政治或社会问题的空间。巴黎沙龙展就是在沙龙举办的展览，被当时的人们认为是一大盛事。所以每当有沙龙展时，展场内总是会被源源不绝的人潮挤得水泄不通。

也是在这个时期，美术评论家诞生了。

当时画家们为了打响名号，会把作品提供给沙龙展展示。如果作品在沙龙展上得到美术评论家评审赏识而获奖，画家就可以累积到财富与名誉。画家米勒就是因为在参加沙龙展

达·芬奇的作品《蒙娜丽莎》

奇妙的人文冒险　米开朗琪罗的穹顶壁画

沙龙的样貌

后成功卖出了作品，才使家里的经济状况得到好转。他也因此能搬到巴黎近郊的农村居住，画下《拾穗者》这幅旷世巨作。

不过，画家们参加沙龙展并不容易，并不是只要提供作品就能参加，因为沙龙展只接受评审委员喜欢的作品。而且评审委员们并不会把机会给予喜欢创新的艺术家。

1863年，在沙龙展中落选的画家们一起举办了另一场展览。但是，评论家们对这场展览纷纷给出了负面的评价。

"在画作上涂上厚厚的颜料，我还以为是掉进油漆桶的野猴子在画布上乱踩的呢！"

"新兴画家们真是太乱来了!"

某位评论家批评这群画家们只画出观察事物时产生的瞬间印象,于是将他们归类为"印象画派",并嘲笑他们。这位评论家所批评的那群艺术家们就是莫奈、德加、雷诺阿等人。相信大家对这几个名字都不陌生,他们现在可都是家喻户晓的画家。

不过,为什么他们在当时无法享受到良好的待遇呢?

如果你看过莫奈的《日出印象》这幅作品,便不难猜到原因。在这幅作品中,船的模样很不明显,颜料也像随意涂画的。在当时,人们认为画作中的线条必须十分清晰才是好作品,所以这幅画在当时算是非常奇怪的作品。另外,如果作品的主题不是历史或神话,而是描绘风景,这对当时的人来说也会觉得非常陌生。不过,只要人们稍微站远一点儿观赏,便可看出这幅作品有多壮观。

日出时港口的曚昽美、被朝阳染红的天际、倒映在水波上的日光……如果画家没有经过长时间的观察,是不可能画出这样的景象的。

所以印象派画家在创作时,通常不是在室内,而是在户外。在户外,就算是相同的风景,也会因为光线的

莫奈的作品《日出印象》

变化，而使我们看到的色彩产生变化。画家们为了将这些变化多端的色彩"装"进作品中，便在画作上涂满了各种颜色的颜料。

印象派的展览虽然受到强烈的批判，但是随着时间的推移，这些作品渐渐得到人们的认可，也对其后的画家产生影响。

用深色的点取代线条作画的新印象派，受印象派的影响最多。被归类为后印象派的塞尚、高更、凡·高，则以强烈的色彩，开创出自己特有的艺术世界。

这些后印象派画家，对20世纪的画家也产生了影响。如喜欢使用强烈色彩让画作好像野兽般狂野的野兽派，又如将物品的各个面，呈现在同一画面上的立体派等。

"毕加索！你到底在画什么？"

20世纪的法国巴黎聚集了来自各国的画家，像西班牙的毕加索、意大利的莫迪利亚尼、俄国的夏加尔等，各门各派的艺术家丰富了巴黎的美术界。但是，和当初印象派的遭遇相同，这些新兴艺术家们的尝试在一开始也不被业内认同。后来成为世界知名画家的毕加索，在当时也无法幸免被非议。

1907年夏天，毕加索在向朋友们展示自己的作品《亚威农少女》时，负面评价如雪片般飞来。

"毕加索！你到底在画什么？这是你随便乱画的吧？"

"你是打算一辈子穷困潦倒吗？即使画卖不出去，你也能开心吗？"

在朋友们的眼中，毕加索的作品非常奇怪。画中女人的身躯各自面向不同的方向，眼睛也歪七扭八的，不知道正在看哪里，甚至有些女人还有着像面具一样的脸。

面对众人的批评，毕加索这样回答："我是画我所想的，而不是画我所看见的。"

毕加索想要把自己从前后、左右、上下等各个方向看到的事物，都放到同一个画面中，这种表现方法被称为立体派或立体主义。

在20世纪，许多艺术家像毕加索一样自由地展现个性，形成了各式各样的流派。康定斯基以色彩与点、线条展现抽象美术，而蒙克则将悲伤、不安、恐惧等人的内心情感表现在作品中。闻名世界的《呐喊》即是蒙克的作品。

杜尚把在商店里买到的小便池放倒，并将它取名为《泉》，然后以这个作品参加了展览。杜尚惊人的举动吓到了展览的主办单位，他们因此拒绝了《泉》的展出。

但是，杜尚的《泉》向这个世

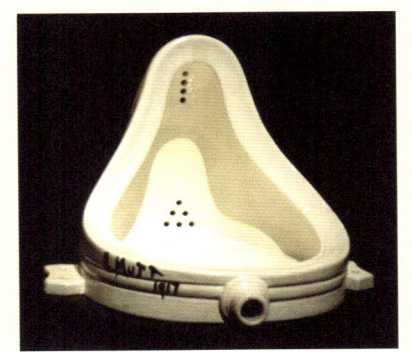

杜尚的作品《泉》

奇妙的人文冒险 米开朗琪罗的穹顶壁画

界抛出了一个问题："如果不是从无到有所创作出来的作品，而是以新的观点去观察原有的事物，并给予它们新的意义，这样的作品可以称为艺术吗？"《泉》也在现代美术中被认为是最令人印象深刻的作品。

夏加尔与达利画出了不存在于现实的想象世界，展现了超现实主义的艺术。

安迪·沃霍尔以知名人士或人气商品作为主题，引领了名为波普艺术的大众艺术风格。

本书部分情节与插图为作者想象与创作，或与史实有出入。

培养思维能力的人文科学

1. 以下是泰悟在经历冒险旅行之前的想法。你可以向泰悟说明为什么我们需要艺术,以及艺术在我们的生活中有什么作用吗?请写下你的想法。

   > 艺术无聊不好玩,就算不懂艺术也不会怎样。为什么我们非要了解无趣的艺术呢?

奇妙的人文冒险　米开朗琪罗的穹顶壁画

2. 智悟说，他总可以听到从蒙克的画作《呐喊》中所传出的大喊声。你是不是也曾在欣赏美术作品或听音乐时，像智悟一样有过特别的感觉？请试着回想一下，并写下来。

....

....

....

....

....

....

....

....

....

....

....

3. 泰悟和智悟正在讨论艺术家杜尚的作品《泉》。你同意谁的想法呢？请写下原因。

   米开朗琪罗为创作牺牲了健康，但是《泉》展现的只是随处可见的小便池，这不是杜尚尽最大努力而创作的，所以它不是艺术品。

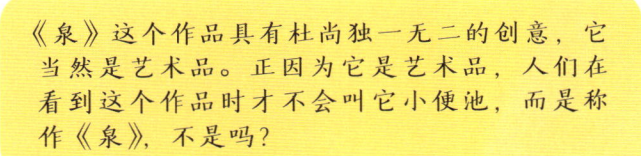

   《泉》这个作品具有杜尚独一无二的创意，它当然是艺术品。正因为它是艺术品，人们在看到这个作品时才不会叫它小便池，而是称作《泉》，不是吗？

奇妙的人文冒险 米开朗琪罗的穹顶壁画

4. 泰悟在看过米开朗琪罗、拉斐尔的作品和古代雕像后，说出了自己的想法。《创世记》《雅典学派》《哀悼基督》《拉奥孔与儿子们》，在泰悟看到的这些作品中，哪一个令你印象深刻呢？也写下你的理由和想法吧！

未来，属于终身学习者

我们正在亲历前所未有的变革——互联网改变了信息传递的方式，指数级技术快速发展并颠覆商业世界，人工智能正在侵占越来越多的人类领地。

面对这些变化，我们需要问自己：未来需要什么样的人才？

答案是，成为终身学习者。终身学习意味着具备全面的知识结构、强大的逻辑思考能力和敏锐的感知力。这是一套能够在不断变化中随时重建、更新认知体系的能力。阅读，无疑是帮助我们整合这些能力的最佳途径。

在充满不确定性的时代，答案并不总是简单地出现在书本之中。"读万卷书"不仅要亲自阅读、广泛阅读，也需要我们深入探索好书的内部世界，让知识不再局限于书本之中。

湛庐阅读 App: 与最聪明的人共同进化

我们现在推出全新的湛庐阅读 App，它将成为您在书本之外，践行终身学习的场所。

不用考虑"读什么"。这里汇集了湛庐所有纸质书、电子书、有声书和各种阅读服务。

可以学习"怎么读"。我们提供包括课程、精读班和讲书在内的全方位阅读解决方案。

谁来领读？您能最先了解到作者、译者、专家等大咖的前沿洞见，他们是高质量思想的源泉。

与谁共读？您将加入到优秀的读者和终身学习者的行列，他们对阅读和学习具有持久的热情和源源不断的动力。

在湛庐阅读 App 首页，编辑为您精选了经典书目和优质音视频内容，每天早、中、晚更新，满足您不间断的阅读需求。

【特别专题】【主题书单】【人物特写】等原创专栏，提供专业、深度的解读和选书参考，回应社会议题，是您了解湛庐近千位重要作者思想的独家渠道。

在每本图书的详情页，您将通过深度导读栏目【专家视点】【深度访谈】和【书评】读懂、读透一本好书。

通过这个不设限的学习平台，您在任何时间、任何地点都能获得有价值的思想，并通过阅读实现终身学习。我们邀您共建一个与最聪明的人共同进化的社区，使其成为先进思想交汇的聚集地，这正是我们的使命和价值所在。

CHEERS

湛庐阅读 App 使用指南

读什么
- 纸质书
- 电子书
- 有声书

怎么读
- 课程
- 精读班
- 讲书
- 测一测
- 参考文献
- 图片资料

与谁共读
- 主题书单
- 特别专题
- 人物特写
- 日更专栏
- 编辑推荐

谁来领读
- 专家视点
- 深度访谈
- 书评
- 精彩视频

HERE COMES EVERYBODY

下载湛庐阅读 App
一站获取阅读服务

미켈란젤로의 예술 교실（The Art Class of Michelangelo）

Copyright © 2017 by Shin YEon-Ho & Jo Seung Yun

All rights reserved.

Translation rights arranged by SIGONGSA Co., Ltd. through May Agency and Chengdu Teenyo Culture Communication Co., Ltd.

Simplified Chinese Translation Copyright © 2022 by Cheers Publishing Company.

本书中文简体字版经授权在中华人民共和国境内独家出版发行。未经出版者书面许可，不得以任何方式抄袭、复制或节录本书中的任何部分。

著作权合同登记号：图字：01-2022-6822 号

版权所有，侵权必究
本书法律顾问　北京市盈科律师事务所　崔爽律师

图书在版编目（CIP）数据

奇妙的人文冒险. 米开朗琪罗的穹顶壁画 /（韩）申然淏著；（韩）赵胜衍绘；庄曼淳译. -- 北京：中国纺织出版社有限公司，2023.5

ISBN 978-7-5229-0087-2

Ⅰ.①奇… Ⅱ.①申…②赵…③庄… Ⅲ.①儿童故事-图画故事-韩国-现代 Ⅳ.①I312.685

中国版本图书馆CIP数据核字（2022）第226467号

责任编辑：刘桐妍　责任校对：高　涵　责任印制：储志伟

中国纺织出版社有限公司出版发行
地址：北京市朝阳区百子湾东里 A407 号楼　邮政编码：100124
销售电话：010—67004422　传真：010—87155801
http://www.c-textilep.com
中国纺织出版社天猫旗舰店
官方微博 http://weibo.com/2119887771
北京盛通印刷股份有限公司印刷　各地新华书店经销
2023年5月第1版第1次印刷
开本：710×965　1/16　印张：30.75　插页：5
字数：220千字　定价：239.90元

凡购本书，如有缺页、倒页、脱页，由本社图书营销中心调换